# LE NÉGUS

Ryszard KAPUŚCIŃSKI

# LE NÉGUS

*Traduit du polonais par
Véronique Patte*

*Préface de
Christophe Brun*

**Champs** histoire

# PRÉFACE

L'homme a créé des Dieux l'inverse tu rigoles
Croire c'est aussi fumeux que la ganja
Tire sur ton joint pauvre rasta
Et inhale tes paraboles
Là-bas en Éthiopie est une sombre idole
Hailé Sélassié Négus Roi des Rois
Descendant de Moïse à ce qu'en croient
Certains quant à moi je les crois sur parole
Des esclaves le protègent sous de noirs parasols
Du ciel blanc d'Addis-Abeba
À ses pieds un lionceau emblème de Juda
Symbole
Dans son lointain palais le Négus s'isole
Prisonnier après un nouveau coup d'État
Peut-être passé par les armes va savoir qui ou quoi
Demande donc à la C.I.A. ou Interpol

Serge Gainsbourg (auteur, compositeur, interprète, 1928-1991), « Negusa nagast », album *Mauvaises Nouvelles des étoiles*, Mercury (Universal), 1981.

Le principal souverain de l'Abissinie se nomme Négus ; il est maître absolu de la vie et des biens de ses sujets. [...] Quand le Négus donne un repas, il ne touche pas aux viandes : ses pages les lui portent à la bouche. [...] On le voit rarement en public ; et quand il y paroît, c'est avec un nombreux cortège et sur un siège exhaussé, porté par des chevaux. [...] Autrefois les empereurs Abissins ne se laissoient point voir à leurs sujets.

François Robert (ingénieur-géographe du roi, 1737-1819), notice « Abissinie », *Encyclopédie méthodique*, *Géographie moderne*, Paris et Liège, Panckoucke et Plomteux, t. I, 1782.

A-t-on jamais vu un patron comprendre un domestique ? Nous, Madame, au bout de trois jours qu'on est chez quelqu'un, on connaît déjà tous ses défauts et, au bout d'un mois, on sait tout ce qu'il pense. Lui, quand même qu'il nous garderait cinq ans à son service, il ne sait rien de nous lorsque nous le quittons ! Ah ! y en a-t-il, mon Dieu, qui seraient étonnés si on leur disait tout ce qu'on sait sur eux !

Sacha Guitry (comédien, auteur dramatique, cinéaste, 1885-1957), *Désiré*, 1927, acte III.

# Ryszard Kapuściński, Hailé Sélassié : la solitude du coureur de fond

Polémique : procédé infaillible employé par les honnêtes gens pour promouvoir ce qu'ils combattent, malignité par laquelle des gredins alertent le public de la cause qu'ils soutiennent, manière excitante de réunir gredins et honnêtes gens. « Ne manquez pas de dire dans vos feuilles, aussi pieuses qu'éloquentes et sensées, que *La Princesse de Babylone* est hérétique, déiste et athée. Tâchez surtout d'engager [...] à [la] faire condamner [...] par la Sorbonne ; vous ferez grand plaisir à mon libraire », raillait, en fin de conte, Voltaire en 1768.

En 2010, Artur Domosławski, journaliste à la *Gazeta Wyborcza* de Varsovie, fit paraître en anglais une biographie de Ryszard Kapuściński, la grande figure du journalisme polonais disparue trois ans plus tôt et qu'il avait bien connue [1]. Il y déclarait que certains de ses livres, conçus à partir de ses campagnes de reportage, méritent davantage de figurer au rayon littéraire qu'à celui du

---

1. *Kapuściński Non-Fiction*, 2010 ; éd. française : *Kapuściński, la vérité par le mensonge*, Les Arènes, 2011.

journalisme ; qu'à son plus grand profit Kapuściński
avait sciemment laissé colporter des légendes sur son
compte, comme son amitié avec Che Guevara ; que non
seulement il fut membre du Parti ouvrier unifié polonais
pendant un quart de siècle et correspondant dans le tiers-
monde de l'agence de presse nationale – ce que tout le
monde, évidemment, savait déjà –, mais encore qu'il
avait été acoquiné avec les services secrets de la République populaire de Pologne.

Il n'en fallut pas davantage pour que des publicistes
anglais et américains (relayés par la presse française
qui compta les points), pétris d'une morale de l'aveu
de soi à deux shillings [1], et, probablement, d'une
culture littéraire à trois zlotys, entreprissent de s'offus-
quer pieusement d'une évidence : Ryszard Kapuściński,
l'Albert Londres de Varsovie, aurait çà et là trafiqué
sans avertissement de la vertu suprême du journaliste,
la pure exactitude factuelle. Témoignages récrits ou
inventés et faits dénaturés ou complètement faux,
mêlés à la séduction du style et à l'intelligence du
propos, seraient autant de pièges semés sous les pas
du lecteur crédule par le grand reporter.

Domosławski eut beau rappeler qu'il ne faisait que
s'accorder aux déclarations d'un Kapuściński se

---

1. Voyez plutôt ceci : « Il n'est pas question de se mentir
– mais il ne faut pas non plus t'imaginer que tu me dis la vérité
parce que tu me dis ce que tu penses. […] On n'est pas
infaillible parce qu'on est sincère, de même qu'on peut très
bien être de mauvaise foi et ne pas se tromper. » Sacha Guitry,
*Quadrille*, 1937, acte II.

réclamant, à la fin de sa vie, d'un « journalisme littéraire » illustré par Norman Mailer ou Truman Capote,
et que Kapuściński distinguait radicalement la rédaction de ses articles de la composition de ses livres au
point d'avoir en poche deux carnets de notes où consigner ce qu'il destinait soit aux uns, soit aux autres, les
censeurs tinrent absolument à renverser l'idole polo-
naise, coupable à leurs yeux d'avoir trahi l'éthique pro-
fessionnelle. Rien de plus vrai, rien de plus faux que
cette trahison.

Il n'est pour s'en persuader que de lire *Le Négus*,
cette œuvre magistrale sur la chute du régime de
l'empereur d'Éthiopie Hailé Sélassié (1892-1975),
après quarante-quatre ans de règne et cinquante-huit
ans de gouvernement personnel. Kapuściński serait en
droit de renvoyer à la face de ses critiques posthumes
ce mot du narrateur de l'*Histoire véritable* de Montesquieu : « On ne voulait jamais que je disse une sottise,
quoique tous ceux qui étaient autour de moi prissent
d'étranges libertés à cet égard. »

## « *Vive la Pologne, Monsieur !* [1] »

L'écrivain et éditorialiste péruvien Mario Vargas
Llosa, qui fut en 1990 un candidat malheureux à

---

1. Exclamation de défi lancée par l'avocat républicain Charles
Floquet au tsar de Russie Alexandre II, lorsque ce dernier visita
l'Exposition universelle de Paris le 3 juin 1867.

l'élection présidentielle dans son pays, a écrit qu'« en
mentant, [les romans] traduisent une curieuse vérité,
qui ne peut s'exprimer que sous le masque et le man-
teau, déguisée en ce qu'elle n'est pas [1]. » Il soulignait
toutefois que ce mélange de vérité et de mensonge
était le propre du roman mais que, dans des récits
présentés comme objectifs, il devenait un véritable
danger pour l'esprit. C'est pourquoi dans ce dernier
cas, ajoutait-il, les régimes autoritaires s'y com-
plaisent, les régimes démocratiques le réprouvent.
Alors, *Le Négus* est-il une affreuse manipulation
concoctée par le bon citoyen d'un État totalitaire ? À
vrai dire, il n'est nul besoin de le présenter comme
une fiction plutôt que comme un « récit vrai » : sa
seule lecture suffit à révéler son caractère… double.

*Le Négus* est ce qu'on appelait au XVIIIe siècle un
conte philosophique. Il mêle une réflexion générale
sur le pouvoir et la révolution à la critique précise
d'un objet travesti en situation exotique. Derrière
l'Éthiopie du Négus, le lecteur distingue sans grand
mal la Pologne communiste, celle du stalinien Bierut,
celle des Gomułka et Gierek de la Détente. La France
des Lumières, au régime absolutiste travaillé par le
libéralisme, où la liberté de parole s'avançait à couvert
afin de contourner les censures du roi et de l'Église,
donna naissance à nombre d'œuvres en ce genre.

---

1. Mario Vargas Llosa, « La vérité par le mensonge » (1989),
dans *La Vérité par le mensonge. Essais sur la littérature*, Gallimard, 1992 (*La Verdad de las mentiras*, 1990), p. 10.

Parmi les plus célèbres, les *Lettres persanes* de Montesquieu (1721), les contes voltairiens (« Le vieux Bélus, roi de Babylone, se croyait le premier homme de la terre ; car tous ses courtisans le lui disaient et ses historiographes le lui prouvaient [1] »), ou encore cet étonnant récit « pré-psychanalytique » de Crébillon fils, *L'Écumoire ou Tanzaï et Néadarné, histoire japonaise* (1734), dans lequel Tanzaï est modelé sur le jeune Louis XV.

Cependant, contrairement à ses devanciers français du XVIIIe siècle et même si ceux-ci s'appuyaient en partie sur les connaissances délivrées par les voyageurs et les érudits de leur temps, Kapuściński n'a pas inventé l'exotisme de la cour d'Addis-Abeba. Il l'a connu, l'a intimement compris et l'a restitué tout en le mettant au service d'arrière-pensées polonaises. Il fit ainsi d'une pierre, deux coups. Lorsque *Cesarz* (*Le Négus*) parut en Pologne en 1978, à l'instar d'Hailé Sélassié aux prises avec ses militaires loyaux mais félons et rusés s'abritant sous son autorité au moment même où ils la défiaient et la disloquaient, la « démocratie populaire » dirigée par Edward Gierek commençait à affronter en louvoyant des prolétaires loyaux mais félons et rusés se réclamant du fondement officiel du régime, la « classe ouvrière ». Deux ans plus tard, ils allaient donner naissance au syndicat indépendant Solidarność, incarné par l'ouvrier des

---

1. Voltaire, *La Princesse de Babylone*, 1768.

chantiers navals de Gdansk Lech Wałęsa, le futur président de la République post-communiste.

L'empathie souveraine de Kapuściński vis-à-vis de son impérial sujet vint en particulier de ce que les États communistes réinventèrent, en les « nationalisant », nombre de traits caractéristiques de l'absolutisme monarchique. Ainsi de la possession du pays par le souverain (collectivisme d'État) et de l'appui sur une aristocratie renouvelée de temps à autre par des purges culpabilisatrices[1] (les apparatchiks de la nomenklatura). Ainsi du fondement religieux du pouvoir politique investi dans une transcendance (la nécessité historique que la « science » marxiste révélait) par des textes sacrés (les écrits de Marx et Engels puis des divers « Pères de l'Église » communiste) et par le culte de la personnalité[2] des leaders. Ainsi d'un langage uniquement propre à la célébration permanente (la langue de bois[3]) et d'une historiographie officielle[4]. Ainsi de la mise en beauté de façades éphémères du régime lors des visites du souverain et des observateurs étrangers. Ainsi de la « loyauté » comme vertu suprême exigée du peuple en échange de la « bonté » d'un souverain prodiguant sans désemparer des « encouragements » à tous ses sujets, sans égard

1. *Le Négus*, p. 113.
2. *Le Négus*, p. 181.
3. Le « bilinguisme », sous la plume de Kapuściński : *Le Négus*, p. 134-135.
4. *Le Négus*, p. 115.

pour l'efficacité réelle de l'action mais pourvu que soit respectée la conformité aux rites censés garantir la pérennité du régime.

C'est pourquoi Kapuściński mit en scène avec une telle finesse de perception le fonctionnement délétère du bain de courtisanerie au milieu duquel s'essoufflait l'absolutisme impérial en Éthiopie. C'est pour cette raison qu'il sut si bien montrer les « contradictions du système » monarchique qui promouvait officiellement la modernisation du pays tout en souhaitant maintenir le cadre autoritaire traditionnel, féodal et religieux, duquel le Négus tirait sa légitimité ; ou bien encore la déliquescence finale du pouvoir de l'Empereur, le dérèglement progressif des rites immuables, le « flou » entretenu par les luttes intestines entre les coteries de courtisans et par une inaction qui put être, comme le signifie Kapuściński – et, par exemple, ainsi que Louis XVI l'avait tenté après le 14 juillet 1789, ou Mikhaïl Gorbatchev en URSS après 1985 –, une tentative désespérée de maîtriser la situation par le lâcher-prise.

Mais l'empathie de Kapuściński vis-à-vis de la monarchie éthiopienne eut sans doute un autre motif que le communisme : sa condition personnelle de grand reporter et d'écrivain le rapprocha de celle du Roi des Rois.

« *Il menait une vie de souverain, ou mieux de journaliste* [1]. »

Balzac fut le propriétaire malheureux de deux journaux (*La Chronique de Paris* en 1835-1836 puis *La Revue parisienne* en 1839-1840) et il publia sur la profession, en 1843, l'ironique *Monographie de la presse parisienne*. Il fit répondre par les sages du Cénacle, lorsque Lucien de Rubempré leur annonça son intention de « se jeter dans les journaux » : « Tu serais si enchanté d'exercer le pouvoir, d'avoir le droit de vie et de mort sur les œuvres de la pensée, que tu serais journaliste en deux mois [2]. »

Les grands reporters et les artistes du récit (écrivains, cinéastes), ces individus solitaires, créateurs ou révélateurs de mondes, sont souvent fascinés par l'exercice personnel du pouvoir. Ils ont en commun avec les tyrans, les dictateurs, les monarques absolus et les leaders charismatiques la foi en leur capacité à susciter par leur action propre une réalité organisée selon leur vœu. Que l'on songe par exemple – sans même remonter aux historiographes royaux en général ni à Voltaire en particulier, amateur de tête-à-tête personnels ou littéraires avec Louis XV, Frédéric II de Prusse, Pierre le Grand et Catherine II de Russie,

1. Honoré de Balzac, *L'Illustre Gaudissart*, 1833 et 1843. Cité en exergue d'un livre de souvenirs par le grand reporter François Chalais, *Les Chocolats de l'entracte. Choses vécues*, Stock, 1972.
2. Honoré de Balzac, *Illusions perdues*, 1837-1843.

Charles XII de Suède – à des auteurs aussi divers
s'étant emparés de sujets aussi variés que Roger Fressoz[1], Raymond Depardon[2], Vidiadhar Surajprasad
Naipaul[3], Pierre Michon[4], Manuel Vázquez Mon-
talbán[5], Mario Vargas Llosa[6], Thierry Michel[7],
Patrick   Rambaud[8],   Marc   Dugain[9],   Patrick

1. André Ribaud (pseudonyme de Roger Fressoz), *La Cour,
chronique du royaume*, avec des dessins de Roland Moisan, Julliard,
1961, sur la République gaullienne. Fressoz et Moisan étaient journalistes au *Canard enchaîné*, où les chroniques ont d'abord paru.

2. *1974, une partie de campagne*, sur la campagne présidentielle de Valéry Giscard d'Estaing (DVD Arte vidéo, 2004).

3. *Le Retour d'Eva Perón*, Christian Bourgois, 1989, contient
en particulier des récits sur Eva Perón (1974) et sur la dictature
de Mobutu au Zaïre (1975).

4. *L'Empereur d'Occident*, Fata Morgana, 1989, puis Verdier,
2007.

5. *Autobiografía del general Franco*, 1992 (version réduite en
français sous le titre *Moi, Franco*, Seuil, 1994), *O César o nada*,
1998 (*Ou César ou rien*, Seuil, 1999), sur la famille valencienne
des Borgia.

6. *La Fiesta del chivo*, 2000 (*La Fête au bouc*, Gallimard,
2002), sur la fin du régime du dictateur Trujillo, président de
la République dominicaine de 1930 à 1961.

7. *Mobutu, roi du Zaïre*, 1999, série télévisée puis film réali-
sés avec nombre de pellicules retrouvées dans les décombres du
pouvoir mobutiste (DVD Les Films du Paradoxe, 2006).

8. *Chronique du règne de Nicolas Ier*, Grasset, 2008-2011,
4 vol. à ce jour, sur la présidence de Nicolas Sarkozy.

9. *Une exécution ordinaire*, Gallimard, 2007, puis film éponyme (DVD Studio Canal, 2010), sur les derniers mois de la
vie de Staline.

Rotman[1] et Jean Lacouture, Yves Jeuland[2] ou Andrei Ujica[3], et même Alain Cavalier[4].

Le sociologue Raymond Boudon a relevé ce trait démiurgique pour expliquer pourquoi, plus largement, nombre d'intellectuels heureux de jouir pour leur compte d'une liberté d'expression, sont en même temps si prompts à admirer certaines tyrannies et si

---

1. Auteur de deux films documentaires, *François Mitterrand, le roman du pouvoir* avec Jean Lacouture, en 2000 (DVD Universal, 2001 ; Lacouture, journaliste et écrivain ayant vécu au Maroc et en Égypte, est l'auteur d'une thèse de science politique sur *La Personnification du pouvoir dans les nouveaux États* publiée au Seuil en 1969, ainsi que d'une biographie de Mitterrand, *François Mitterrand, une histoire de Français*, Seuil, 1998), puis *Chirac* en 2006 (DVD Universal, 2006), et scénariste d'un film de fiction sur la conquête de la présidence de la République par Nicolas Sarkozy de 2002 à 2007 : Xavier Durringer, *La Conquête*, 2011 (DVD Gaumont, 2011).

2. *Le Président*, 2010, documentaire sur feu Georges Frêche, président de la Communauté urbaine de Montpellier et du conseil régional de Languedoc-Roussillon (DVD France Télévisions, 2011). À rapprocher du film de fiction d'Henri Verneuil, *Le Président*, 1961, d'après le roman éponyme de Georges Simenon (1957), dialogues de Michel Audiard, avec Jean Gabin dans le rôle d'un autoritaire chef de gouvernement (DVD Europacorp, 2009).

3. *L'Autobiographie de Nicolae Ceausescu*, 2010, film réalisé par le seul montage et une restitution sonore partielle de ceux tournés par les services du *Conducator* roumain (DVD, 2012).

4. *Pater*, 2011, film dans lequel le réalisateur (qui fit des études d'histoire) et son acteur Vincent Lindon mêlent leur vie quotidienne à des rôles, respectivement, de président de la République et de Premier ministre.

enclins à critiquer le libéralisme[1]. Kapuściński, dit son biographe Domosławski, était un communiste sincère. Mais il était en même temps un reporter fort aise de sa liberté d'enquêter seul de par le monde, un patriote qui ressentait douloureusement la tutelle soviétique pesant sur son pays et sur le parti communiste polonais. Il était en somme, vis-à-vis du régime pour lequel il travaillait, du dedans par son idéologie marxiste, et du dehors : son caractère – notons son aversion pour la remise en cause critique lorsqu'elle le prenait pour cible et, plus encore, pour l'autocritique qui fut si pratiquée dans les régimes communistes à certaines époques –, son mode de vie, ses réflexes professionnels avaient tout de « l'individualisme petit-bourgeois » honni de l'orthodoxie communiste.

Aussi le journaliste polonais sut-il magnifiquement ressusciter la fière solitude de l'empereur éthiopien, son désir de tout savoir, de parler et de se montrer à tous en dépit des impératifs de l'étiquette et de la dissimulation inévitablement sécrétée par le pouvoir chez ses desservants. « Il me semble qu'on peut très raisonnablement comparer la Cour à une nombreuse assemblée de masques, où le seul visage du Maître se voit à découvert », écrivait un publiciste français du siècle des Lumières[2]. Si bien qu'à l'égal du journaliste,

---

1. *Pourquoi les intellectuels n'aiment pas le libéralisme*, Odile Jacob, 2004.
2. Paul-Antoine Novilos de Saint-Cyr, *Tableau du siècle*, Genève, 1759, p. 126.

l'homme de pouvoir, même s'il cherche aussi à détourner son regard des échecs et des imperfections de son action, ne cesse de traquer l'information : « le mensonge l'obsède ; il faut qu'il aille de lui-même au-devant de la vérité pour la rencontrer[1]. »

« *"Le mensonge donne au langage un 'sel' qui manque toujours à la vérité pure", disait un Abyssin à M. Antoine d'Abbadie*[2]. »

Par leurs œuvres, les artistes ont le pouvoir de faire sentir une situation inaccessible autrement. Ce procédé fictionnel est fort ancien. D'abord religieux, il fut même encore scientifique au XVIIe siècle lorsque certains savants, tel Kepler, y recoururent dans le champ cosmologique. En effet, « l'inaccessibilité suppose des techniques d'écriture pour décrire l'invisible et dire l'inconnu : la fiction joue alors un rôle central[3] ». De même, certains historiens d'aujourd'hui, aussi tenus que les journalistes aux faits attestés, font appel à la fiction comme à un adjuvant métaphysique à la pratique habituelle de leur métier.

1. *Ibid.*, p. 128.
2. Élisée Reclus, *Nouvelle Géographie universelle*, Paris, Hachette, t. X, *Afrique septentrionale : Bassin du Nil*, 1885, p. 243.
3. Frédérique Aït-Touati, *Contes de la Lune. Essai sur la fiction et la science modernes*, Gallimard, 2011.

Les historiens tenants de l'« uchronie »[1] souhaitent faire mieux comprendre combien « la suite de l'histoire » eût été différente si était advenue telle bifurcation, possible mais non réalisée au moment où survint l'événement perçu comme décisif, et combien ces bifurcations tiennent parfois à fort peu de chose (une bataille gagnée ou perdue, un attentat manqué ou réussi, etc.). D'autres historiens imaginent une composition fictive de faits entièrement avérés, destinée à faire mieux voir la nature profonde d'un moment historique[2]. Dans les deux cas, il n'est pas question de roman historique, ni de récit historique au sens académique.

Vis-à-vis de la sacralité monarchique du Négus, Kapuściński procéda comme le fit Kepler pour révéler la nature de l'Univers : le mensonge fictionnel s'assortit à la vérité journalistique afin de dévoiler l'intimité d'une structure difficilement saisissable par le biais de la description objective. Il fit voir ce qui ne pouvait être vu, rendit palpable l'inobservable. De semblable façon, longtemps, personne n'a pu mieux dire qui fut le jeune Hassan II, roi du Maroc de 1961 à 1999, que l'auteur encore inconnu à ce jour d'un récit romancé et blasphématoire prudemment publié sous un pseudonyme[3].

---

1. Anthony Rowley et Fabrice d'Almeida (historiens contemporanéistes), *Et si on refaisait l'histoire ?*, Odile Jacob, 2009.

2. Patrick Boucheron (historien médiéviste), *Léonard et Machiavel*, Verdier, 2008.

3. Jacques Alain, *Le Roi* (Olivier Orban, 1976), ressortit, le style en moins, à la veine du roman satirique à clés illustrée par

Le caractère fictionnel du *Négus* éclate à l'évidence
dans le style. Les vrais-faux courtisans et membres de la
Maison impériale, tels qu'ils furent mis en scène par
Kapuściński – « Cher ami, bien sûr que je me souviens » ; « Il faut que vous sachiez, monsieur Richard » ;
« Je dois vous avouer, monsieur Richard » –, parlent tous
un langage commun manifestement inventé par l'écrivain et qui nimbe de fantastique leurs « témoignages ».
Albert Londres n'a pas procédé autrement. Qu'on par-
coure les ouvrages du reporter français, on verra que les
personnages réels qu'il y fait dialoguer s'y expriment
curieusement en style alberto-londonien.

Dans *Le Négus*, les marionnettes agitées par Kapuściński ont au surplus le génie collectif de délivrer un
chapelet de maximes politiques. Voici par exemple le
principe de l'altérité rituelle du pouvoir (« Sa Majesté
ne pouvait se permettre d'être confrontée à la vie telle
qu'elle est » ; « un souverain, c'est avant tout une
convention avec des règles précises »), celui de la
dignité par contraste (« Le trône confère de la dignité,
mais seulement par contraste avec la soumission environnante »), celui « d[u] renforcement par la dévalori-
sation » (ouvrir « les portes du Palais » à « des
nouveaux » aux « manières grossières » et à la « mentalité rustre », « des gens qui voulaient vivre dans le
confort et faire carrière »). Voici encore le principe
d'Archimède (« plus la soumission a été longue et le

cette *Histoire amoureuse des Gaules* de Bussy-Rabutin (1660) qui
n'eut pas l'heur de plaire au jeune Louis XIV.

silence pesant, plus la réaction est agressive et violente »), le principe « du deuxième sac » (« le paysan
se révolte seulement quand brusquement, on essaie de
lui jeter un deuxième sac sur les épaules »), celui du
roi nu (« il est extrêmement difficile d'établir la frontière entre un pouvoir fort et une pantomime
creuse ») [1]. Peu importe, dans ces conditions, que les
personnages – réduits d'ailleurs à un anonymat bien
utile – fussent tous réels, eussent tenus en tout ou
partie les propos que l'écrivain leur mit à la bouche.

En outre et fort habilement, le procédé littéraire
du témoignage dont use Kapuściński laisse en fait
indécidable la question de l'invention ou du mensonge purs et simples : un témoin ne peut-il donc se
tromper, n'a-t-il pas son propre point de vue et sa
mémoire singulière, qui ne sauraient être toujours
conformes à la vérité historique [2] ? S'il est faux par
exemple de laisser entendre par le truchement d'un
« témoin » qu'Hailé Sélassié usait peu, dans sa pratique du gouvernement, des procédés modernes de
l'instruction (lecture, écriture) en raison de la maigreur de sa culture personnelle [3], il est bien une vérité

1. *Le Négus*, p. 61, 62, 113-114, 138, 139-140, 202.
2. Ancien poilu, Jean Norton Cru lutta après la Grande
Guerre contre l'emprise des « bobards » colportés par la littérature de témoignage, en décrivant par le menu les conditions de
véracité de ce type d'écrits : *Témoins*, Les Étincelles, 1929
(Presses universitaires de Nancy, 2006) ; *Du témoignage*, Gallimard, 1930 (Allia, 1998).
3. *Le Négus*, p. 16.

sous-jacente rendue accessible par ce mensonge. C'est que chez un monarque, même très instruit avec tous les raffinements du modernisme diplômant (ainsi Hassan II était-il docteur en droit de l'université de Bordeaux), l'instruction se trouve toujours reléguée en position subordonnée par rapport aux traditions rituelles qui sont la véritable colonne vertébrale du régime monarchique. Le monarque ne saurait pour cela se faire vraiment homme à talent – savant, technocrate ou homme politique. Il n'en a d'ailleurs nullement le goût, et ce serait déchoir.

L'un des ressorts du *Négus* est cependant l'ajout par Kapuściński d'une broderie analytique au tissu de révélations intimistes prodiguées par ses « témoins » plus ou moins réels. L'intervention distanciée du narrateur est alors marquée par la composition du texte en caractères italiques. Ce commentaire marginal entreprend de dire, explicitement cette fois, les conditions dans lesquelles l'enquêteur s'informe, et surtout, conformément à la vision marxiste, la nature exacte des « contradictions » qui provoquèrent la chute du régime impérial [1].

Car la déposition d'Hailé Sélassié en 1974 s'inscrivit dans la longue liste de ces sanglantes révolutions modernisatrices qui, commencées en Europe occidentale, enflammèrent le monde entier et le bouleversèrent de fond en comble.

---

1. *Le Négus*, p. 195-199.

*« Ce temps de sommeil qu'on a appelé la vie d'Honorius avait trouvé son terme* [1]. »

« J'ai dit que son caractère dominant était la douceur et la bonté. Comment donc a-t-il pu être exposé au plus exécrable de tous les attentats au milieu de ses sujets ? Sont-ils des monstres [2] ? » Comment un peuple doux et soumis se métamorphose-t-il en une foule vociférant des « revendications » contre ses guides et protecteurs traditionnels ? Au XVIII<sup>e</sup> siècle finissant, Casanova, dans ses mémoires, avait lui aussi regretté ce changement incompréhensible observé chez le peuple français de 1789.

En Éthiopie, écrit un géographe du XIX<sup>e</sup> siècle, « le pouvoir royal est illimité en droit, quoique en fait il soit contenu par la force de la coutume et surtout par la puissance de mille vassaux remuants et de communes peuplées de gens à fief, d'hommes à bouclier ou à javeline, paysans gentilshommes, que le moindre changement d'équilibre peut liguer contre le roi. Aussi longtemps que des chemins faciles, suivant les crêtes et franchissant les gorges, ne relieront pas les plateaux les uns aux autres et ne donneront pas au pays la cohésion qui lui manque, l'Éthiopie sera

1. Pierre Michon, *L'Empereur d'Occident, op. cit.*, 1989.
2. Paul-Antoine Novilos de Saint-Cyr, *op. cit.*, 1759, p. 131, au sujet du coup de canif porté par le domestique Damiens au flanc du roi de France Louis XV en 1757, un crime de lèse-majesté qui valut l'écartèlement à son auteur.

condamnée au régime féodal [1] ». Si nous suivons
Élisée Reclus, le régime féodal avait toutes les chances
de disparaître à mesure de la modernisation du pays.
Nous touchons ici au pathétique des régimes à la fois
autoritaires et modernisateurs, d'où *Le Négus* tire une
part de son charme, ce mélange d'ironie dénonciatrice
et d'une mélancolie suscitée par la disparition défini-
tive d'un très vieux monde.

Par exemple, Kapuściński montra avec subtilité
comment le patronage clientéliste, qui permet de
s'élever sur le dos de la population par un échange
inégal (redevance et fidélité contre protection et inter-
cession), est perçu comme une pratique aussi normale
qu'immémoriale jusqu'au moment où le processus de
modernisation de l'État le fait apparaître comme une
survivance injuste, inacceptable. Il prend alors pour
ses détracteurs de nouveaux noms, infâmants ceux-
là : exploitation, corruption [2]. Un saut se produit dans
l'efficacité productiviste de l'échange social : à l'issue
du processus, au sein des régimes démocratiques
modernes, le système relationnel du don et du contre-
don est passé de l'échelle personnelle et sélective à
l'échelle collective d'une masse anonyme d'« ayants
droit », grâce à l'arsenal de l'« éducation » et de la « protection sociale » alimenté par l'impôt. Au cours du processus en revanche, autant l'échange moderne paraît
impossible ou absurde aux tenants de l'ordre ancien,

1. Élisée Reclus, *op. cit.*, 1885, p. 250-251.
2. *Le Négus*, par ex. p. 70 et 132.

autant l'échange ancien semble suicidaire et odieux aux partisans de l'ordre nouveau. Ces deux visions d'une même pratique sont celles de deux légitimités inconciliables, la seconde surgissant au sein de la première. Elles se côtoient, s'affrontent, tentent de s'anéantir mutuellement.

Contraints à la modernisation par la compétition internationale, sous peine d'un déclin insupportable tant du point de vue moral (l'abaissement est un déshonneur) que géopolitique (l'affaiblissement rend vulnérable aux entreprises des États rivaux), les despotes éclairés, quelle que soit leur nature, finissent tous par scier la branche sur laquelle ils sont assis. Ils se voient dans l'obligation de susciter de nouvelles forces sociales [1] afin de s'accorder à la modernité qui les cerne et les aiguillonne. Or, immanquablement, ne se satisfaisant plus guère de la « volupté d'obéir » et du « droit d'être sans volonté [2] » au nom même de leurs compétences et de l'efficacité d'action qui justifient leur existence sociale, ces forces neuves se retournent contre le pouvoir qui persiste à les tenir en lisière. Ainsi la logique de la transformation modernisatrice provoque-t-elle la plébéianisation du pouvoir politique, l'élargissement progressif de sa base sociale – jusqu'à atteindre, *in fine*, sa démocratisation.

Le mouvement d'ensemble est simple : aux rois, aux aristocrates et aux prêtres (phase 1) se substituent

---

1. *Le Négus*, p. 114-117.
2. Sacha Guitry, *Désiré*, 1927, acte III.

une oligarchie économique et diplômée, ou bien l'armée de métier, ou encore des partis uniques (phase 2), tous groupes bien plus ouverts socialement que les précédents et appuyés sur de nouvelles idéologies politiques qui recyclent en général un fond culturel hérité (corporatisme, ethnisme, socialisme et communisme – nés du terreau chrétien –, islamisme, néoconfucianisme, etc.). Une fois engagé dans sa nationalisation, le pouvoir politique ne peut ensuite s'ouvrir à une efficacité encore supérieure de son fonctionnement qu'au prix de la participation effective de l'ensemble du peuple à son exercice, par la voie électorale au sein d'un pluralisme : c'est la démocratie (phase 3). La formation, sous la conduite d'une oligarchie technocratique et économique, de plus vastes ensembles géopolitiques que les États-nations plébéiens ou démocratiques édifiés sur l'héritage étatique des monarchies, pourrait bien constituer, à l'échelle de la mondialisation, une quatrième phase en devenir [1]. De nos jours, et de manière plus ou moins enchevêtrée car le modèle souffre nombre de variantes hybrides, les quatre phases cohabitent, du fait des vitesses inégales de transformation des États et des régions du monde – avec une première phase résiduelle, toujours mâtinée des caractères de la deuxième phase, et une quatrième phase dans les limbes.

---

1. Christophe Brun, « Une géohistoire de l'innovation », dans David Cosandey, *Le Secret de l'Occident. Vers une théorie générale du progrès scientifique*, « Champs-Flammarion », 2008, p. 25 et 67-76.

Ainsi, de la déposition de Charles I^er à Londres en 1648 à celle de Gyanendra à Katmandou en 2008, en passant par celles de Louis XVI à Paris, Isabelle II à Madrid, Pedro II à Rio de Janeiro, Pu Yi à Pékin, Nicolas II à Saint-Pétersbourg, Guillaume II à Berlin, Charles à Vienne et Budapest, Mehmet VI à Istanbul, Umberto II à Rome, Michel à Bucarest, Fouad II au Caire, Bao Dai à Hué, Lamine Bey à Tunis, Fayçal II à Bagdad, Kigeli V à Kigali, Hailé Sélassié à Addis-Abeba, Sihanouk à Phnom Penh ou Reza Pahlavi à Téhéran [1], avec « Vatican II » et en attendant peut-être des nouvelles en provenance de Rabat, Amman, Riyad, Mbabane ou Bandar Seri Begawan, l'emprise des Anciens Régimes sur le monde n'a cessé de se réduire comme peau de chagrin.

Paradoxalement, la très démocratique péninsule d'Europe occidentale recèle aujourd'hui, après la péninsule Arabique, la plus grande densité au monde de monarques en exercice. Ce sont quatre émirats financiers (Andorre, Liechtenstein, Luxembourg, Monaco) et un califat catholique (le Saint-Siège à Rome), résidus de l'époque féodale précieusement conservés dans les interstices d'un concert des puissances millénaire ; ce sont surtout sept de ces puissances (Belgique, Danemark, Espagne, Norvège, Pays-Bas, Royaume-Uni de Grande-Bretagne et d'Irlande du Nord, Suède). Au total, une douzaine de monarchies héréditaires – mais

---

1. Ryszard Kapuściński, *Le Shah* (1982), éd. intégrale en français, Flammarion, 2010 ; « Champs-Flammarion », 2011.

le trône du Vatican est électif – pour le double
d'États. Encore le président de la République française est-il coprince d'Andorre, et le monarque britannique règne-t-il toujours sur les anciens dominions
du Canada, de l'Australie et de la Nouvelle-Zélande.

Si certaines de ces vivantes monarchies d'Europe
ont pu un jour être balayées avant de reparaître,
toutes doivent leur existence actuelle à un acquiesce-
ment : le transfert de la souveraineté réelle du
monarque à son peuple. Patrimoniales à l'origine,
elles se sont « nationalisées », le plus souvent dans la
douleur, après un farouche refus initial. Ce que relate
*Le Négus*, c'est l'incompréhension et le rejet que suscite un tel renversement de souveraineté à la cour
d'Addis-Abeba dans les années 1960-1970 – et, par
ricochet, les blocages de la Pologne communiste dans
sa propre phase d'évolution. Certes, l'Éthiopie avait
eu son lot de vicissitudes politiques : « Dans ce pays
où les guerres civiles causent de si brusques péripéties
dans la vie, il faut [s'attendre] sans frayeur à tomber
de l'opulence à la mendicité ; il n'y a point de fous
chez les Abyssins [1]. » Mais jamais l'institution impériale n'avait disparu en tant que telle et, du reste, le
Négus perdit son trône avant même que son aura eût
complètement disparu.

« En réalité, le roi d'Abyssinie n'est maître que du
sol sur lequel campe son armée et des villes largement
ouvertes où ses cavaliers peuvent se montrer à la

---

1. Élisée Reclus, *op. cit.*, 1885, p. 243.

moindre alarme. Telle est la raison pour laquelle le
souverain actuel [Johannès IV], comme son prédéces-
seur Théodoros, n'a d'autre capitale que son camp :
un coup de tambour de guerre suffit pour que l'armée
se mette en marche [1]. » En 1974, l'armée s'était déjà
remise en marche jusqu'aux rebelles provinces fronta-
lières, sans remporter de succès décisif ; elle finit par
se retourner contre son souverain. Sans doute sa
propre déposition et l'abolition de la monarchie
demeurèrent-elles jusqu'au bout, ainsi que le suggère
Kapuściński, littéralement impensables pour Hailé
Sélassié : chaque monarque succombe d'abord à la
tentation consolatrice de croire que sa situation est
absolument singulière. Et peut-être abandonna-t-il de
ce fait « aux Barbares les arguments de raison, qui
sont de l'hérésie [2] ». Mais lesdits barbares, ses sujets
révolutionnaires, n'étaient pas, eux non plus, dégagés
des vieux réflexes légitimistes.

De telle sorte que, lorsque le colonel Mengistu et
ses acolytes succédèrent au Négus, ils le firent secrète-
ment étouffer quelques mois après qu'ils l'eurent
détrôné. Et l'on raconta [3] que le cadavre du vieil
homme fut enfoui sous le bureau même du colonel
sacrilège, que les journalistes affublèrent du sobriquet

1. *Ibid.*, p. 251.
2. Pierre Michon, *op. cit*, 1989.
3. Cf. Elikia M'Bokolo, Philippe Sainteny et Alain Ferrari,
*Afrique[s], une autre histoire du XXᵉ siècle*, Temps noir/INA/
France Télévisions, 2010, 360 min., 3 DVD.

de « Négus rouge » en raison du badigeon marxiste dont il revêtit la façade du nouveau régime. Au mieux, Mengistu aurait pensé pouvoir bénéficier de l'influence positive encore attribuée dans l'esprit du commun – il en était – à la sacralité de l'ancien monarque ; au pire, il aurait espéré se prémunir contre sa vengeance posthume. Il faut dire que parmi les chefs d'État du tiers-monde d'alors, l'empereur d'Éthiopie inspirait un respect tout particulier, lié à sa fonction sacrée, à sa généalogie, à sa personne, à son pays.

*« Tant que cette philosophie qui tient telle race pour supérieure et telle autre pour inférieure n'aura pas enfin perdu tout crédit...* [1] *»*

Toute l'Afrique, sans exception, fut soumise plus ou moins durablement au colonialisme occidental. Y compris le Liberia, où des Noirs des États-Unis descendants d'esclaves vinrent dominer des Africains noirs, ce qui entraîna un quart de siècle d'une atroce révolution nationale après 1980. Y compris l'Éthiopie, conquise par la monarchie fasciste italienne. Pourtant l'Éthiopie conserva, en Afrique et dans le monde, une aura particulière : à Adoua en 1896, les guerriers du Négus

---

1. Hailé Sélassié, discours à l'ONU, 1963, chanté par Bob Marley dans « War », *Rastaman Vibration*, 1976.

Ménélik II avaient mis en déroute une armée italienne et sauvé l'indépendance de l'Empire.

Cette victoire décisive fut aussi retentissante que, plus tard, celle des Japonais sur les Russes à Port-Arthur et Tsushima en 1905, et celle encore, en 1921 à Anoual, des Rifains d'Abdelkrim el-Khattabi sur l'armée espagnole. Chaque fois, une solide organisation sociale à l'enracinement plurimillénaire, un obstacle géographique à la conquête (hauts plateaux, archipel, chaîne de montagnes), une assez bonne connaissance du monde occidental de la part des chefs « indigènes », un armement modernisé et la lutte contre des États impérialistes parmi les plus faibles de l'Europe industrialisée, contribuèrent à expliquer la complète déconfiture du corps expéditionnaire des assaillants.

Si ces trois peuples « noir », « jaune » et « blanc » furent finalement vaincus et soumis, ce fut au prix du déploiement de moyens militaires considérables, tout particulièrement de la nouvelle arme aérienne, et pour une durée fort courte. Ainsi l'Éthiopie succomba-t-elle en 1936, de même que le Rif avant elle en 1926 et le Japon après elle en 1945. Toutefois, le Négus Hailé Sélassié, réfugié en Angleterre, retrouva son trône dès 1942, à la faveur de la guerre mondiale. Comme plus tard ses homologues marocains à leur retour de déportation en 1955, il connut l'embarras de devoir attirer à lui, pour les cajoler ou les étouffer, les forces locales qui avaient pris part à la lutte sur le sol même de la patrie et sans rien devoir à l'assistance du monarque. Mais l'Éthiopie et son souverain purent cependant incarner durablement en Afrique subsaharienne et en Amérique tropicale une « fierté noire » partout ailleurs humiliée par l'impérialisme « blanc ».

Comment susciter en soi-même cette fierté, arracher cette dignité au mépris des puissants du moment ? En puisant à toutes les sources : avant, ailleurs, demain. Le passé, c'est la tradition que l'on retient. Certains États africains dessinés par les colonisateurs se sont ornés des noms glorieux des empires d'autrefois (« Ghana », « Mali », « Zimbabwe »), et ce n'est pas un hasard si les hommes d'État noirs aujourd'hui les plus respectés au monde se rattachent, au sein de deux pays démocratiques post-apartheids, à une caste d'essence aristocratique, épine dorsale d'un sentiment de sa propre dignité personnelle : Nelson Mandela appartient à une dynastie princière xhosa en République sud-africaine ; aux États-Unis, Barack Obama est issu par son père d'une lignée de notables luo du Kenya.

Or, en Éthiopie [1] – l'ancienne Abyssinie –, monarchie, État, langue, écriture, religion (chrétienne),

1. L'Éthiopie, « pays des Noirs » d'après un mot grec ancien signifiant « face brulée » ; il exista dans la raciologie européenne du XIXe siècle une « race éthiopique » qui englobait presque tous les Noirs d'Afrique. D'autres « pays des Noirs » ainsi désignés depuis le Nord du Sahara : Guinée et Ghana (du berbère), Niger et Nigeria (du latin dont sont issus « nègre » et « noir »), Soudan (de l'arabe).

agriculture se trouvaient magnifiés par une mémoire généalogique qui les faisaient remonter sans interruption jusqu'à l'Antiquité : « Il est, au sud de l'Égypte et de la Nubie, une contrée qui, pendant bien des siècles, s'est dérobée à tous les regards. […] Si nous accordons confiance à la tradition, nous devons croire que la même race s'est perpétuée de rois en rois jusqu'à nos jours [1]. » De là, même, l'idée, très populaire chez un certain nombre de Noirs d'Afrique et d'Amérique, d'une Afrique qui aurait été la lointaine matrice de ce monde occidental à la fois si fascinant, si envié et si cruellement dominateur.

La fierté peut encore investir un ailleurs créé par le mysticisme. En Amérique caribéenne imprégnée de christianisme et peuplée de descendants d'esclaves africains, le Négus (*Negusa negast* : « Roi des Rois ») Hailé Sélassié (« puissance de la Trinité »), ancien Ras (« Chef ») Tafari (« Craint ») Makonnen (« Noble ») de la province éthiopienne du Harer avant qu'il n'accède au trône impérial, fut déifié en Messie noir dans les années 1930 par Marcus Garvey, leader jamaïcain du mouvement de « Retour à l'Afrique ». Ce courant religieux « rastafari » (« rasta ») aux couleurs de l'Éthiopie contribua en son genre à activer le sentiment panafricain au sein du tiers-monde de la guerre froide. Il

---

1. *L'Univers, ou Histoire et description de tous les peuples*, partie *Abyssinie*, par M. A. Noël Desvergers, « orientaliste », Paris, Firmin Didot, 1847, p. 1a et 8a.

connut une célébrité mondiale dans les années 1970 [1] grâce aux chansons reggae de Bob Marley qui sont, pour les rastas, autant de gospels. Aujourd'hui encore, certains adeptes ne croient nullement à la mort du dernier Négus : comment le Messie pourrait-il vraiment disparaître ?

Quant à la fierté confiée aux lendemains, elle s'incarne dans la notion de « développement », le plein accès à la modernité d'origine occidentale comme mieux-être désirable et dignité plus pleinement humaine : industrie et services, technologie, santé, instruction, démographie maîtrisée, démocratie, place reconnue dans le concert mondial des nations. Justement, Hailé Sélassié n'avait-il pas été, dès sa régence (1916-1930) exercée au nom de l'impératrice Zaoditou, l'un des premiers dirigeants africains à tenter l'aventure de la modernisation technologique, économique, sociale, culturelle et politique [2] ? N'avait-il pas inauguré en 1917 la ligne de chemin de fer franco-éthiopienne reliant le port de Djibouti à Addis-Abeba, encouragé le développement de l'agriculture d'exportation, aboli l'esclavage en 1924, fait construire des écoles, fondé en 1950 l'Université d'Addis-Abeba ? N'avait-il pas réussi à

1. Lire à cet égard le récit drolatique, par son père, de la « conversion » du fils cadet de Mario Vargas Llosa : « Mon fils, l'Éthiopien » (1985), dans *Un barbare chez les civilisés*, Gallimard, 1998 (*Contra viento y marea*, t. III, 1990).

2. Abdul-Halim Elias Nosseir, *Ityopya. Les richesses de l'Éthiopie*, Nancy, Berger-Levrault, 1928.

obtenir l'adhésion de son pays à la Société des
Nations (1923) et promulgué en 1931 la première
Constitution d'un État libre d'Afrique subsaharienne
à peine était-il monté sur le trône (1930) ? N'était-il
pas ouvert au monde moderne, lui qui fit résonner
l'amharique en 1936 à Genève du haut de la tribune
de la Société des Nations, lui qui savait aussi s'exprimer en français et en anglais ?

La synthèse de l'héritage traditionaliste, d'une mys-
tique panafricaine et de la promesse de l'aube déve-
loppementaliste fut réalisée à Addis-Abeba en 1963,
avec la création de l'Organisation de l'unité africaine [1]
sous l'égide d'un Roi des Rois septuagénaire et inter-
nationalement célébré. Mais Hailé Sélassié vivait ses
dernières années de souverain, entre deux coups
d'État. Celui, manqué, de 1960 ; celui, réussi,
de 1974, qui l'obligea à laisser la place aux officiers
de son armée, ces parvenus élevés dans son ombre.

Ceux-ci interprétèrent alors dans le monde réel le
rôle de fiction que la tradition éthiopienne confiait à
la farce, ainsi qu'en témoigne un orientaliste français
du XIXe siècle. « On pourrait presque mettre l'art dramatique au nombre des talents que les Abyssins
cultivent avec le plus de succès ; du moins ils
prennent le plus grand plaisir à voir un caractère qui
offre quelque côté ridicule, représenté en charge par
des espèces de bouffons, qui, au dire des voyageurs, ne

---

1. Union africaine (UA) depuis 2002 ; le siège de l'organisation régionale est demeuré à Addis-Abeba.

manquent ni de naturel, ni de finesse. Tantôt l'acteur imitera les manières simples et rampantes d'un ambitieux qui veut parvenir : il fait les saluts les plus profonds, parle à voix basse ; puis, feignant d'avoir reçu du chef quelques encouragements, il relève l'épine dorsale, s'approche, parle plus haut ; et quand enfin il est censé avoir obtenu ce qu'il demande, rien de plus éclatant que la voix, rien de plus insolent que les manières du parvenu [1]. »

Aujourd'hui, les États du ci-devant tiers-monde, en poursuivant à petites ou longues foulées leurs révolutions modernisatrices, provoquent par leurs exigences et leurs manières de parvenus l'effroi des vieux Négus occidentaux, ces anciens rois du monde. La fiction des bouffons abyssins s'incarne à nouveau, sur la scène planétaire cette fois. La course de fond des peuples, des leaders et des reporters continue. Le mort saisit le vif et ton souffle inspire encore, Kapuściński.

Christophe BRUN,
juillet 2011.

1. Noël Desvergers, *L'Univers...*, *Abyssinie*, *op. cit.*, 1847, p. 45b-46a.

# LE NÉGUS

— Le Trône —

Oublie-moi
La flamme s'est éteinte
*Tango tsigane*


Ô Négus, Roi des Rois
Viens sauver ton royaume
Car nos confins abyssins
Sont au sud menacés
Et au nord de Makale
Le péril est immense
Ô Négus, Roi des Rois
Donne-moi des cartouches,
donne-moi de la poudre
*Chanson varsovienne d'avant-guerre*


En observant le comportement de poules dans une basse-cour, on constate que les volailles de rang inférieur se font becqueter par celles de rang supérieur et leur cèdent la place. Dans l'absolu, il existe une pyramide, avec au sommet, la poule-reine qui donne des coups de becs à toutes les autres. En-dessous, les poules intermédiaires picotent leurs subalternes mais obéissent à leurs supérieures. Et tout en bas la poule souffre-douleur qui prend des coups de partout.

Adolf Remane, *Les Mœurs des vertébrés*

L'homme s'habitue à tout à condition
d'avoir atteint le degré de soumission voulu.

C.G. Jung


Quand il veut dormir, le dauphin flotte à
la surface de la mer. Une fois assoupi, il coule
lentement jusqu'au moment où il touche le
fond et se réveille. Il remonte alors à la surface puis se rendort pour couler de nouveau
et se réveiller de la même manière. C'est ainsi
qu'il se repose dans le mouvement.

Benedykt Chmielowski,
*La Nouvelle Athènes*
*ou l'Académie de toutes les sciences*

*Le soir, j'écoute ceux qui ont connu la Cour de l'Empereur pour en avoir naguère fait partie ou y avoir eu accès. Ils ne sont plus nombreux. Certains ont été passés par les armes. D'autres ont fui à l'étranger. D'autres encore ont été incarcérés dans les geôles souterraines du Palais, précipités des salons aux oubliettes. D'autres enfin se cachent dans les montagnes ou vivent dans des monastères, déguisés en moines. Chacun essaie de survivre à sa façon, selon ses moyens. Seule une poignée est restée à Addis-Abeba où il semble plus facile de déjouer la vigilance des autorités.*

*Je leur rends visite à la tombée de la nuit. Il me faut sans cesse changer de voiture et de vêtements. D'une méfiance extrême, les Éthiopiens refusent de croire en la sincérité des mes intentions : ce que je veux, c'est exhumer un monde balayé par les mitrailleuses de la 4ᵉ division. Montées sur des Jeeps à côté du chauffeur, ces mitrailleuses sont maniées par des tireurs dont le métier est de tuer. À l'arrière, un soldat reçoit des ordres par radio. Le chauffeur, le tireur et le radio*

*portent des casques et des lunettes de motard fumées*
*pour se protéger de la poussière, car la Jeep n'est pas*
*bâchée. On ne voit pas leurs yeux, leur visage hirsute*
*couleur d'ébène est sans expression. Ces troïkas de la*
*mort sillonnent la ville à tombeau ouvert, prennent les*
*virages sur les chapeaux de roues, remontent les rues à*
*contresens. Leur passage sème la panique. Mieux vaut*
*ne pas se trouver dans leur ligne de mire. Au milieu*
*des crépitements et des bruits parasites, la radio posée*
*sur les genoux du soldat émet des cris rauques dont nul*
*ne sait s'ils sont un ordre d'ouvrir le feu. Mieux vaut*
*disparaître, tourner dans une rue latérale et attendre*
*que l'orage passe.*

*Je m'enfonce dans des ruelles sinueuses pleines de*
*boue pour me rendre dans des maisons qui, de l'exté-*
*rieur, donnent l'impression d'être vides et abandon-*
*nées. J'ai peur : ces habitations sont surveillées, je*
*risque de me faire rafler avec leurs habitants. Il arrive*
*que des patrouilles, à la recherche d'armes, de tracts*
*subversifs ou d'hommes de l'ancien régime ratissent une*
*venelle ou même un quartier tout entier. Les maisons*
*s'observent, s'épient, s'espionnent. C'est la guerre civile,*
*son image.*

*À peine me suis-je assis près d'une fenêtre que je*
*m'entends dire : « Monsieur, changez de place, s'il vous*
*plaît, on peut vous voir de la rue et vous abattre sans*
*problème. » Une voiture passe, elle s'arrête, on entend*
*des coups de feu. Qui était-ce ? Des hommes de ce*
*camp-ci ou de ce camp-là ? Mais qui sont-ils, aujour-*
*d'hui, les hommes de ce camp-ci ? Et les autres, ceux*

*qui sont contre ce camp-là puisqu'ils sont pour ce camp-ci, qui sont-ils ? Des chiens aboient, la voiture s'éloigne. À Addis-Abeba, la nuit résonne d'aboiements, c'est une ville de chiens, des bêtes de race ensauvagées, au poil hérissé, minées par la vermine et la malaria.*

*Mes amis éthiopiens me répètent – ils prêchent un converti – de rester vigilant : pas d'adresse, pas de nom, pas même la description d'un visage, l'évocation d'une taille, grande ou petite, la mention d'une maigreur, d'un front, d'un regard, de mains, de jambes, de genoux...*

*Des genoux, pour se prosterner devant qui ?*

F. :

C'était un chiot de race japonaise. Il s'appelait Lulu. Il avait l'autorisation de dormir dans la couche royale. Pendant les cérémonies, il s'échappait des genoux de l'Empereur et allait pisser sur les souliers des dignitaires. Ces messieurs n'avaient pas le droit de sourciller ni de faire le moindre geste quand ils sentaient leurs pieds s'imbiber d'urine. Mon rôle consistait à passer entre les courtisans au garde-à-vous et à essuyer leurs chaussures. Un chiffon en satin était affecté à cette tâche. J'ai assumé cette fonction pendant dix ans.

L. C. :

L'Empereur dormait dans un large lit en bois de
noyer clair. Il était si menu et fragile qu'il disparaissait
dans les draps, il s'y noyait. Avec l'âge, il devint plus
minuscule encore, il pesait cinquante kilos. Il mangeait de moins en moins et ne buvait jamais d'alcool.
Ses genoux s'étaient ankylosés, et quand il était seul
il traînait des pieds et se dandinait comme s'il était
perché sur des échasses. Mais dès qu'il se sentait
observé, il essayait de redonner à ses muscles un semblant d'élasticité, au prix d'un pénible effort, afin que
sa démarche fût celle d'un roi et que sa silhouette
impériale restât d'une dignité irréprochable. Chacun
de ses pas était une lutte entre décadence et majesté,
horizontalité et verticalité. À aucun instant, le Roi des
Rois n'oubliait son infirmité de vieillard, qu'il refusait
obstinément de dévoiler par crainte d'affaiblir son
prestige et son autorité. Mais nous, ses valets de
chambre, nous pouvions l'épier en cachette, nous
connaissions le prix de ses efforts. Il avait l'habitude
de dormir peu et de se lever avant le jour. Il considérait le sommeil comme un besoin superflu lui volant
un temps précieux qu'il eût préféré consacrer à l'exercice du pouvoir et aux cérémonies. Pour lui, le sommeil était comme un corps étranger dans sa vie qui,
selon lui, devait se dérouler dans le faste et les
lumières. Aussi se réveillait-il mécontent d'avoir
dormi, exaspéré d'avoir perdu du temps dans le sommeil, et seules les activités qui l'attendaient étaient

susceptibles de rétablir son équilibre intérieur. J'ajouterai toutefois que l'Empereur ne manifestait jamais le moindre énervement, la moindre colère, le moindre dépit, la moindre frustration, à croire qu'il ignorait ces états d'âme, qu'il avait des nerfs en acier ou qu'il en était dépourvu. C'était un trait de caractère que Sa Majesté avait su parfaire et ériger en principe selon lequel, en politique, la nervosité est un signe de faiblesse qui incite adversaires et subalternes à des plaisanteries privées. Or Sa Majesté savait que sous la plaisanterie s'embusque une forme d'opposition dangereuse. Aussi maintenait-il son psychisme dans un carcan de règles strictes : il se levait à quatre ou cinq heures du matin ; quand il se trouvait en visite officielle à l'étranger, il lui arrivait même de se lever à trois heures du matin. Plus tard, quand la situation commença à empirer dans le pays, il partait de plus en plus souvent ; le Palais tout entier était absorbé par ses préparatifs de voyage. Une fois réveillé, il appuyait sur une sonnette près de sa table de nuit. Les serviteurs, sur le qui-vive, attendaient ce signal. Le Palais s'illuminait. L'Empire était avisé que Sa Majesté suprême inaugurait un jour nouveau.

Y. M. :

L'Empereur commençait la journée par l'audition des délations. La nuit est propice à la conspiration, et Hailé Sélassié savait que ce qui se passe à la faveur de l'obscurité est plus important que ce qui se passe à la lumière du soleil. Pendant la journée, il avait tout le monde à l'œil, mais pendant la nuit, c'était impossible. Aussi accordait-il une importance toute particulière aux délations matinales. Je voudrais ici éclaircir un point : Sa Vénérable Majesté n'avait pas l'habitude de lire. Pour Son Éminence, le mot écrit ou imprimé n'existait pas, tout devait être référé de vive voix. Sa Majesté n'avait guère fait d'études, son unique précepteur – quand il était enfant – fut un jésuite français, Mgr Jérôme, par la suite évêque de la province du Harar et ami du poète Arthur Rimbaud. L'homme d'Église n'eut guère le temps d'inculquer à l'Empereur l'art de lire, entreprise d'autant plus difficile que dès l'enfance, Hailé Sélassié assumait des fonctions administratives et n'avait pas de temps à consacrer à la lecture. Mais il me semble toutefois que le manque de temps et de savoir n'expliquent pas tout. La coutume du rapport oral présentait l'avantage qu'au besoin, l'Empereur pouvait interpréter à sa guise les propos de tel ou tel notable. Quant à ce dernier, il ne pouvait pas se défendre puisqu'il ne disposait d'aucune preuve écrite. C'est ainsi que l'Empereur ne retenait des rapports de ses subordonnés que ce qui, selon lui, devait être dit. Son Auguste Majesté avait des idées préconçues auxquelles elle ramenait tous les témoignages de son entourage. Il en était de même avec l'écriture, car Notre Monarque non seulement négligeait l'art de la lecture, mais il n'écrivait rien non plus et ne signait aucun document de sa propre main.

Bien qu'il ait régné près d'un demi-siècle, ses proches n'ont jamais su à quoi ressemblait sa signature. Quand il exerçait ses fonctions gouvernementales, l'Empereur était toujours assisté par son ministre de la Plume, qui notait ses moindres ordres et recommandations. Il me faut préciser que pendant les séances de travail, Sa Majesté parlait tout doucement, en remuant à peine le bout des lèvres. Debout à moins d'un pas du trône, le ministre de la Plume était contraint d'approcher l'oreille de la bouche de l'Empereur pour entendre et noter sa décision. Par ailleurs, ses paroles étaient généralement vagues et équivoques, surtout quand il ne voulait pas prendre de décision ferme alors que la situation nécessitait une prise de position tranchée. Notre Monarque était d'une habileté remarquable. Interrogé par un haut fonctionnaire, Sa Majesté ne répondait jamais directement, mais elle s'exprimait d'une voix si ténue que ses paroles n'atteignaient que l'oreille du ministre de la Plume pratiquement collée aux lèvres de l'Empereur comme un microphone. Le haut fonctionnaire notait les murmures parcimonieux et confus du souverain. La suite n'était plus qu'une question d'interprétation, relevant de la compétence du ministre, qui donnait à la décision impériale une forme écrite puis la transmettait aux échelons inférieurs. Le titulaire du portefeuille de la Plume était l'homme de confiance de l'Empereur, il disposait d'un pouvoir immense. Il pouvait transformer les paroles mystérieuses du Monarque en décisions arbitraires. Si les propositions de l'Empereur éblouissaient par leur justesse et leur sagesse, c'était une preuve supplémentaire de l'infaillibilité de l'élu de Dieu. En revanche, si des rumeurs de mécontentement colportées des quatre coins de l'Empire venaient effleurer l'oreille royale, Sa Majesté pouvait tout faire retomber sur la tête du ministre. Ce dernier était la personnalité la plus honnie de la cour, car l'opinion, convaincue de la sagacité et de la bonté de Sa Vénérable Majesté, reprochait au ministre les décisions mauvaises et insensées qui étaient, d'ailleurs, innombrables. Certes, les serviteurs se demandaient en chuchotant pourquoi Hailé Sélassié ne changeait pas de ministre, mais au Palais, les questions ne pouvaient être posées que du haut vers le bas, jamais en sens inverse. Le signal de la révolution ne fut-il pas donné lorsque, pour la première fois, une question fut posée dans le sens contraire à l'habitude ?

Mais j'anticipe ; revenons plutôt à cet instant matinal où, sur les marches du Palais, apparaît l'Empereur s'apprêtant à faire sa promenade. Il pénètre dans le parc. À ce moment-là, le chef des Renseignements du Palais, Solomon Kedir, s'approche de lui pour présenter son rapport. L'Empereur descend une allée, et à un pas derrière lui, Kedir débite ses litanies : qui a rencontré qui ; où cela s'est passé ; de quoi ils ont parlé ; contre qui ils se liguent ; si l'on peut considérer cela comme une conspiration… Kedir fournit également des informations sur le travail du département de cryptographie militaire. Cette administration, placée sous la direction de Kedir, est chargée de déchiffrer les messages codés que les divisions s'envoient entre elles. Il est, en effet, primordial de veiller à ce que des idées subversives n'y éclosent pas. Sa Majesté ne pose aucune question, ne fait aucun commentaire, Elle marche et écoute. Parfois elle s'arrête devant une cage à lions et jette aux fauves une cuisse de veau qu'un serviteur vient de lui glisser dans la main. Elle contemple la voracité du prédateur en souriant. Puis elle s'approche des léopards enchaînés et leur lance une côte de bœuf. Sa Majesté doit se montrer prudente quand elle s'approche des carnassiers, car leurs réactions sont imprévisibles. Puis, l'Empereur poursuit son chemin, suivi de Kedir qui égrène ses délations. À un moment donné, Sa Majesté hoche la tête, lui signifiant qu'il est temps de s'éloigner. Kedir fait une révérence et disparaît dans une allée à reculons, de manière à ne pas tourner le dos au monarque. À l'instant même, Makonen Habte-Wald, le ministre de l'Industrie et du Commerce surgit à son tour de sous un arbre. Il rattrape l'Empereur qui poursuit sa déambulation et, tout en le talonnant, fait son rapport. Habte-Wald dispose d'un réseau privé de délateurs qu'il entretient tant pour nourrir une passion dévorante de l'intrigue que pour s'attirer les bonnes grâces de Sa Vénérable Majesté. Sur la base de ses renseignements, Habte-Wald résume à l'Empereur les événements de la nuit passée. De nouveau, Sa Majesté ne pose aucune question ni ne fait aucun commentaire. Elle marche seulement et écoute, les mains croisées dans le dos. Il arrive que Sa Majesté s'approche d'une volée de flamants roses qui, effarouchés, s'égaillent aussitôt, et l'Empereur sourit à la vue de ces créatures indociles. Il poursuit sa promenade et d'un signe de tête, fait taire Habte-Wald qui disparaît à reculons dans une allée. Maintenant c'est au tour du fidèle confident de Sa Majesté, Asha Walde-Mikael, dont la silhouette voûtée semble surgir des tréfonds de la terre. Ce haut fonctionnaire est chargé de surveiller la police politique gouvernementale, rivale des Renseignements du Palais tenus par Solomon Kedir et féroce concurrente du réseau de délateurs gérés par Makonen Habte-Wald. Les responsabilités de ces hommes sont lourdes et dangereuses. Ils vivent dans la peur constante de ne pas faire leur rapport à temps et de tomber en disgrâce ou alors ils craignent que la délation de leur concurrent soit meilleure que la leur et que l'Empereur pense : « Pourquoi, aujourd'hui, Solomon m'a-t-il régalé d'un festin alors que Makonen ne m'a servi que des miettes ? N'a-t-il pas parlé parce qu'il ne savait pas ou s'est-il tu parce qu'il avait participé à la conspiration ? »

Ayant déjà fait les frais de la trahison de proches ou d'alliés fidèles, Sa Majesté châtie impitoyablement le silence. D'un autre côté, la logorrhée incohérente de ses sujets finit par lasser et agacer l'oreille impériale, les bavardages nerveux ne sont pas une solution non plus. Il suffit d'observer l'expression de leur visage pour comprendre la terreur dans laquelle ils vivent en permanence. Jamais reposés, toujours exténués, ils agissent dans la tension, la fièvre, l'obsession perpétuelle de la chasse à l'homme, dans l'atmosphère étouffante de la haine et de la peur qui les assaille de toutes parts. Leur unique bouclier est l'Empereur, mais l'Empereur peut les anéantir d'une pichenette. Il faut bien reconnaître que Sa Bienveillante Majesté ne leur facilite pas l'existence. Comme je l'ai déjà mentionné, lors de sa promenade matinale, Hailé Sélassié ne pose jamais de questions ni ne commente les informations relatives à la situation séditieuse dans l'Empire. Avec le recul, je pense que Son Éminence savait ce qu'elle faisait. Sa Majesté voulait entendre les délations à l'état pur, sous leur forme originale. Si elle avait posé la moindre question ou exprimé la moindre opinion, le rapporteur se serait empressé de modifier les faits pour les adapter à l'imagination de l'empereur, et la délation dans son ensemble aurait sombré dans un tel arbitraire et une telle subjectivité que notre monarque aurait été incapable de savoir ce qui se passait réellement dans son État ou son Palais.

En finissant sa promenade, l'Empereur écoute ce que les hommes d'Asha Walde-Mikael ont rapporté la nuit précédente. Il nourrit ses chiens et sa panthère noire, puis admire le tamanoir que vient de lui offrir le président de l'Ouganda. Il hoche la tête et Asha s'éloigne, le dos voûté, se demandant s'il en a dit plus ou moins que ses ennemis jurés : Solomon, qui est aussi l'ennemi de Makonen, et Makonen, qui est aussi l'ennemi de Solomon. Hailé Sélassié effectue la dernière partie de son parcours matinal en solitaire. Dans le parc, le jour se lève, les ténèbres se dissipent, laissant filtrer les rayons de soleil qui caressent l'herbe. L'Empereur médite, c'est le moment de mettre en place des tactiques et des stratégies, de résoudre les mystères de l'âme humaine et de préparer le mouvement suivant sur l'échiquier du pouvoir. Il approfondit le contenu des rapports fournis par les délateurs. Généralement, ils ne contiennent pas grand chose, des dénonciations mutuelles, la plupart du temps. Sa Majesté a tout noté dans sa tête, son esprit est un véritable ordinateur qui conserve chaque détail, mémorise la moindre vétille. Dans le Palais, il n'y avait ni bureau du personnel, ni dossiers, ni fiches de renseignement. L'Empereur gardait en mémoire toutes les informations sur son élite, il avait engrangé dans sa tête la banque de données la moins chère du monde. Je le revois marcher, s'arrêter, la tête levée comme s'il implorait le Seigneur. Mon Dieu, délivre-moi de ceux qui se traînent à mes genoux, prêts à m'enfoncer un poignard dans le dos. Mais comment le Bon Dieu pourrait-il lui venir en aide ? Tout l'entourage de l'Empereur est double : à genoux avec un poignard. Sur les sommets, il ne fait jamais chaud. Les hauteurs sont sans cesse fouettées par des vents glacés, et, la tête dans les épaules, chacun doit veiller à ne pas se faire précipiter dans le gouffre par son voisin.

**T. K.-B. :**

Cher ami, bien sûr que je me souviens. Cela s'est passé hier. Hier ou presque, pourtant c'était il y a un siècle. Dans cette ville, mais sur une autre planète, qui maintenant s'est éloignée. Comme les souvenirs se mélangent ! Les époques, les lieux, le monde, tout a éclaté en morceaux impossibles à recoller. Il ne reste que les souvenirs, rien d'autre. J'ai passé beaucoup de temps aux côtés de l'Empereur au ministère de la Plume. Nous commencions à travailler à huit heures afin que tout soit prêt à neuf heures, pour l'arrivée du monarque. Sa Majesté vivait au Nouveau Palais, en face de l'immeuble de l'Africa Hall. Elle exerçait ses fonctions officielles dans l'ancien palais construit par l'empereur Ménélik et situé sur une colline voisine. C'est là que se trouvaient notre département et la plupart des administrations impériales, car Hailé Sélassié voulait tout avoir sous la main. Il arrivait dans l'une des vingt-sept limousines de son parc automobile privé. Il adorait les voitures et appréciait particulièrement les Rolls-Royce en raison de leur ligne majestueuse et digne. Pour changer, il lui arrivait d'utiliser ses Mercedes et ses Lincoln-Continental. Je me souviens que Sa Majesté fut la première à introduire les voitures en Éthiopie. Elle réservait toujours un accueil bienveillant aux enthousiastes du progrès technique que malheureusement notre peuple traditionnel traitait avec mépris. L'Empereur faillit d'ailleurs perdre le pouvoir et même la vie lorsque, dans les

années 1920, il importa d'Europe le premier avion !
En ce temps-là, ce modeste aéroplane était considéré
comme l'œuvre de Satan. Des complots contre le
monarque fou, cabaliste et sorcier, furent même
ourdis au sein de la grande noblesse. Son Auguste
Majesté fut contrainte de modérer ses ambitions
novatrices et finit par y renoncer presque totalement,
en proie au découragement qu'engendre toute nouveauté dans l'esprit d'un homme à l'âge avancé. À dix
heures du matin, l'Empereur arrivait donc à l'ancien
palais. Une foule de sujets l'attendait devant les grilles
pour tenter de lui remettre ses doléances. C'était
effectivement la voie la plus directe pour demander
justice et charité. Comme notre peuple est illettré et
qu'en règle générale, ce sont les pauvres qui
demandent justice, ils s'endettaient pour des années
entières afin de payer un clerc susceptible de transcrire
leurs plaintes et leurs prières. Cela posait par ailleurs
un grave problème protocolaire, car la coutume voulait
que les humbles s'agenouillent devant l'Empereur, le
visage baissé. Or comment, dans cette position, trans-
mettre une enveloppe à une limousine qui passe ? Le
problème était résolu de la manière suivante : la voiture impériale ralentissait, derrière la vitre apparaissait
le visage magnanime du Monarque, et l'équipe de
sécurité qui roulait derrière le véhicule impérial prenait une partie des enveloppes des mains tendues par
la populace, je dis bien une partie, car ces mains
étaient plus nombreuses que les arbres de la forêt. Si,
en se traînant à genoux, la foule s'approchait trop près

des véhicules en marche, la garde d'honneur refoulait et chassait les importuns car, pour des raisons de sécurité et de prestige, il convenait que le défilé se déroulât dans l'harmonie et sans interruption intempestive. Les limousines remontaient l'allée royale et s'arrêtaient dans la cour du Palais. Là-bas aussi, une foule attendait l'Empereur, mais celle-ci était totalement différente de la racaille agglomérée devant les grilles et dispersée avec furie par l'unité d'élite de la garde impériale. La foule qui accueillait l'Empereur devant le Palais était constituée de courtisans. Nous arrivions tous là à l'avance afin de ne pas manquer l'arrivée de l'Empereur, car cet instant revêtait pour nous une importance capitale. Chacun de nous voulait, évidemment, se montrer, dans l'espoir d'être remarqué par l'Empereur. Pas au sens où Sa Vénérable Majesté se serait approchée et aurait engagé la conversation avec nous – jamais nous n'aurions osé prétendre à un tel honneur ! – non, pour être franc, je dirais que nous n'aspirions qu'à un minimum d'attention, un brin, une miette, un soupçon d'intérêt, n'engageant en rien l'Empereur, à un regard plus fugace qu'une fraction de seconde mais suffisant pour provoquer en notre for intérieur une secousse profonde et y faire éclore une idée triomphale : ça y est, j'ai été remarqué ! Quelle force cela nous donnait ! Quelles possibilités illimitées s'ouvraient désormais à nous ! Admettons que l'œil de Son Auguste Majesté ait glissé sur notre visage, seulement glissé ! On peut considérer qu'il ne s'est rien passé. Mais d'un autre côté, comment dire

qu'il ne s'est rien passé si l'Empereur nous a effleurés
de son noble regard ? Nous sentons la température de
notre visage s'élever soudain, le sang nous monter à
la tête, notre cœur se mettre à battre la chamade.
N'est-ce pas la preuve que l'œil de notre protecteur
nous a touchés ? Mais bien sûr, cette preuve n'a pas
de sens à ce moment précis. L'essentiel, c'est que le
processus se soit enclenché dans la conscience de Sa
Noble Majesté. Car nul n'ignore que Sa Majesté est
douée d'une mémoire visuelle d'autant plus puissante
qu'elle délaisse ses capacités de lecture et d'écriture.
L'heureux propriétaire du visage sur lequel la prunelle
impériale a daigné glisser peut fonder ses espérances
sur ce don de la nature. Il peut escompter qu'une
trace volatile, une ombre imperceptible s'est imprimée
dans la mémoire de Sa Majesté. Il ne lui reste plus
qu'à manœuvrer dans la foule avec toute l'opiniâtreté
et la persévérance dont il dispose, à s'y glisser, à s'y
faufiler, à jouer des coudes et à bousculer tout le
monde afin de profiter de la moindre occasion pour
mettre son visage à l'avant, à se tortiller et à se déme-
ner afin que le regard impérial le remarque à tout
prix, même superficiellement, même inconsciem-
ment. Après, il faudra s'armer de patience et attendre
le jour où l'Empereur sera traversé par l'idée : « Tiens,
tiens ! Ce visage m'est familier, mais je ne connais
pas son nom. » Et supposons qu'il s'enquiert du nom,
seulement du nom, c'est suffisant ! Désormais le
visage est associé à un nom, tous deux forment un
tout prêt à devenir candidat à une nomination. Seul,

un visage est anonyme. Seul, un nom est abstrait ; or, ce qui importe maintenant, c'est de se matérialiser, se concrétiser, devenir visible, prendre forme, se singulariser. Mon Dieu, c'est là le destin le plus envié mais aussi le plus difficile à réaliser ! Car dans la cour du Palais, les courtisans venus saluer l'Empereur sont des dizaines à tendre le cou. Que dis-je ? Les prétendants se comptent par centaines, les visages se cognent les uns les autres, les grands écrasent les petits, ceux qui ont le teint foncé assombrissent ceux qui ont le teint clair, les vieux passent devant les jeunes, les faibles devant les forts, les faces ordinaires se heurtent aux faces nobles, les audacieux aux chétifs, ils se méprisent, se haïssent, s'écrasent les uns contre les autres, même ceux qui se trouvent en bas de l'échelle, ceux qui sont humiliés, repoussés, vaincus, ceux que la hiérarchie relègue au second plan se poussent vers l'avant en se contorsionnant pour essayer de passer devant les têtes du premier rang, les têtes des gradés, ne serait-ce que par un coin d'oreille, un bout de tempe, un morceau de joue ou de mâchoire, du moment qu'ils approchent la pupille impériale ! Quand Sa Bienveillante Majesté sort de la limousine et daigne embrasser du regard la scène tout entière, elle aperçoit une hydre à cent têtes rampant et serpentant fiévreusement dans sa direction, mais elle voit aussi, à l'écart de ce noyau hautement distingué, à gauche et à droite, devant et derrière, au second et à l'arrière-plan, aux portes et aux fenêtres, sous les portes et dans les sentiers, des foules de laquais, aide-cuisiniers, balayeurs, jardiniers et policiers, le cou tendu pour tenter aussi de se faire remarquer. Sa Majesté contemple le tableau. Est-elle étonnée ? J'en doute, car jadis elle-même a fait partie de ce monstre. N'a-t-elle pas dû, elle aussi, tendre le cou pour hériter du trône à l'âge de 24 ans à peine ? En ce temps-là, la concurrence était tout aussi rude, une cohorte de notables non moins chevronnés avait aussi des visées sur la couronne. Mais ces messieurs étaient trop pressés, ils faisaient tout pour se passer les uns devant les autres, se sautaient à la gorge, excités, déchaînés, impatients de décrocher le trône au plus vite. Son Incomparable Majesté, au contraire, savait attendre. Or la patience est une vertu capitale. Sans persévérance, sans opiniâtreté, voire sans résignation à attendre que la chance se présente, l'homme politique n'existe pas. Sa Majesté a attendu dix ans pour accéder au trône, puis quatorze pour devenir empereur. Au total, près d'un quart de siècle de manœuvres prudentes mais énergiques pour ceindre la couronne impériale. Je dis bien « prudentes », car Sa Majesté se distinguait par la réserve, la discrétion et le silence. Elle connaissait le Palais, elle savait que les murs ont des oreilles, que des regards l'épient attentivement derrière chaque tenture. Elle devait donc faire preuve d'astuce et de ruse. Surtout, elle s'interdisait de tomber le masque trop tôt, de manifester une soif de pouvoir trop âpre, car cela risquait de liguer ses concurrents contre elle et d'attiser leur fougue belliqueuse. Les rivaux frappent en effet et anéantissent celui qui se pousse trop en avant. Non, il faut avancer à petits pas, année après année, en veillant à ce que personne ne passe devant et attendre avec vigilance le moment propice. En 1930, cette tactique apporta à Sa Majesté le trône qu'elle conserva pendant quarante-quatre ans.

*Quand j'ai montré à un ami mes textes sur Hailé Sélassié, ou plutôt sur sa Cour, les récits des courtisans qui peuplaient les salons, les bureaux et les galeries du Palais), il m'a demandé si je me rendais seul chez ces hommes cachés. Seul ! C'était impossible ! Un blanc, un étranger ! Aucun ex-courtisan ne m'aurait laissé franchir le pas de sa porte sans de solides recommandations. Aucun n'aurait voulu me faire la moindre confidence (les Éthiopiens sont par nature réservés, aussi taciturnes que les Chinois). Comment aurais-je su où les trouver, où ils se cachaient, qui ils étaient, ce qu'ils étaient susceptibles de me raconter ?*

*Non, je n'étais pas seul, j'avais un guide.*

*Maintenant qu'il est mort, je peux dévoiler son nom : il s'appelait Teferra Gebrewold. Je suis arrivé à Addis-Abeba en mai 1963. Quelques jours après, les présidents de l'Afrique indépendante devaient se réunir dans la capitale éthiopienne, que l'Empereur préparait à l'occasion de cet événement*[1]. *À l'époque, Addis-Abeba était un gros bourg de quelques centaines de milliers d'habitants, perché sur des collines au milieu de bois d'eucalyptus. Sur les pelouses bordant Churchill Road, la rue centrale, paissaient des troupeaux de vaches et de chèvres, les voitures devaient s'arrêter pour laisser passer les nomades qui poussaient devant eux leurs chameaux effarouchés. Il pleuvait et dans les rues latérales, les véhicules s'embourbaient dans une boue collante et brunâtre, formant d'interminables bouchons.*

*Conscient qu'il fallait donner à la capitale africaine un aspect plus solennel, l'Empereur fit construire quelques immeubles modernes et aménager les rues principales. Malheureusement les chantiers traînaient en longueur. En regardant les échafaudages dressés dans divers points de la ville avec leurs maçons perchés dessus, je me suis souvenu d'une scène décrite par l'écrivain Evelyn Waugh lorsqu'en 1930, il arriva à Addis-Abeba pour assister au couronnement de l'Empereur :*

*« On avait l'impression que la construction de la ville venait de commencer. À tous les coins de rue s'élevaient des bâtiments à moitié terminés. Certains chantiers étaient abandonnés, d'autres étaient occupés par des équipes d'indigènes en haillons. Un jour, j'ai vu une vingtaine ou une trentaine d'ouvriers déblayer des gravats et des pierres qui encombraient la cour devant*

---

1. L'auteur évoque ici la création à Addis-Abeba de l'Organisation de l'unité africaine, remplacée depuis 2002 par l'Union africaine (*NdT*).

*l'entrée principale du Palais, sous la direction d'un contremaître arménien. Le travail consistait à charger la pierraille dans des civières en bois puis à les vider dans une décharge située à une cinquantaine de mètres. Le contremaître tournait au milieu des ouvriers en brandissant un long bâton. Quand il s'éloignait, l'activité cessait aussitôt. Je ne veux pas dire que les hommes s'asseyaient, se mettaient à discuter, à s'étendre par terre, non, ils se figeaient simplement sur place, comme des vaches dans un pré, parfois même ils tombaient en léthargie avec un bout de brique à la main. Quand le contremaître revenait, ils se remettaient à bouger, mais avec apathie, comme des silhouettes dans un film tourné au ralenti. Quand ils recevaient un coup de bâton, ils ne criaient pas au secours ni ne protestaient, ils accéléraient seulement un peu leurs mouvements. Dès que les coups cessaient, ils reprenaient leur rythme d'escargot. Mais à peine le contremaître était-il reparti qu'ils s'immobilisaient et se pétrifiaient de nouveau. »*

Avant la rencontre des chefs d'État africains, une grande agitation régnait au centre de la ville. D'énormes bulldozers longeaient les rues et détruisaient les masures qui les bordaient. La veille, la police avait expulsé leurs habitants. Puis, des équipes de maçons bâtirent une haute muraille pour masquer les taudis qui restaient. D'autres équipes la décorèrent de motifs nationaux. La ville sentait le béton et la peinture fraîche, le bitume encore chaud et les feuilles de palmiers ornant les portes d'honneur.

*L'Empereur donna une réception solennelle à l'occasion de la rencontre des présidents. Il affréta des avions spéciaux qui livrèrent d'Europe des vins fins et du caviar. Il fit venir Miriam Makeba de Hollywood pour un cachet de vingt-cinq mille dollars afin qu'à l'issue du banquet, elle charme les oreilles des dirigeants africains de chants zoulous. Il invita plus de trois mille personnes divisées en groupes strictement hiérarchisés auxquels correspondaient une couleur et un menu spécifiques.*

*La réception se déroula dans l'ancien palais de l'Empereur. Les invités passaient entre deux longues haies formées par la garde impériale armée de sabres et de hallebardes. Du haut des tours éclairées par des projecteurs, des trompettes jouaient l'hymne impérial. Dans des galeries, des comédiens jouaient des scènes historiques de la vie des empereurs défunts. Des jeunes filles en habit populaire jetaient des fleurs sur les invités du haut des balcons. Le ciel explosait de bouquets de feux d'artifice.*

*Lorsque les convives s'attablèrent dans la Grande Salle, les fanfares se mirent à jouer et l'Empereur entra avec Nasser à sa droite. Tous deux formaient un couple insolite : Nasser, grand, massif, souverain, la tête projetée en avant, un sourire figé sur ses mâchoires puissantes, et à côté de lui, la silhouette fine, chétive et voûtée de Hailé Sélassié, son visage menu et expressif, ses yeux immenses, étincelants, pénétrants. À leur suite, les autres dirigeants entrèrent deux par deux. Les hôtes se levèrent, tous applaudissaient. Des ovations à l'Unité africaine et à l'Empereur retentirent. Puis le banquet à proprement parler commença. Il y avait un serveur à la peau sombre pour quatre convives (d'émotion et d'excitation, les domestiques faisaient tout dégringoler de leurs mains). Les tables croulaient sous l'argenterie antique de la région du Harar. Certains invités glissaient des couverts dans leurs poches, qui une cuillère, qui une fourchette.*

*Sur les tables s'amoncelaient des montagnes de viandes et de légumes, de poissons et de fromages, des pièces montées recouvertes de glaçages colorés. Des vins raffinés au bouquet rafraîchissant renvoyaient des reflets chatoyants. La musique retentissait, des bouffons en habits pittoresques faisaient des culbutes à la grande joie des banqueteurs amusés. Tout n'était que rires, conversations, et libations.*

*C'était magnifique.*

*Pendant ces réjouissances, j'ai soudain éprouvé l'envie de m'isoler, mais je ne savais pas où trouver un endroit tranquille. Je suis sorti de la Grande Salle par une porte latérale donnant sur une cour. Il faisait nuit noire, une pluie printanière mais froide tombait à fines gouttes. Une pente douce menait à un abri sans murs. Depuis la porte par laquelle j'étais sorti jusqu'au hangar, des serviteurs à la queue leu leu se passaient des plats avec les restes du festin. Un ruisseau d'os, de trognons, de crudités écrasées, de têtes de poissons et de morceaux de viande coulait vers le bas. J'ai descendu la pente en glissant sur les reliefs du banquet.*

*Arrivé tout près du hangar, j'ai remarqué que derrière, les ténèbres étaient mouvantes, murmurantes, clapotantes, haletantes, salivantes. Je l'ai contourné.*

*Dans l'épaisseur de la nuit, dans la boue, sous la pluie se pressait une foule de mendiants aux pieds nus. Les préposés à la plonge leur jetaient des rogatons. J'ai regardé cette foule qui dévorait des trognons, des croupions, des os et des têtes de poissons avec labeur et application. Leur manière de festoyer traduisait une concentration grave, scrupuleuse, un abandon physique, violent presque, un assouvissement crispé, tendu, extatique.*

*Parfois les serviteurs marquaient une pause, le flux de plats s'interrompait et la foule se détendait momentanément, elle relâchait ses muscles comme si elle avait reçu un ordre : Repos ! Les hommes essuyaient leurs visages mouillés, arrangeaient leurs guenilles maculées de boue et de nourriture. Mais dès que le ruisseau de plats se remettait à couler – car là-haut, la grande bouffe, les mâchonnements et les lapements allaient bon train –, la foule reprenait son sacro-saint labeur de mastication.*

*Comme j'étais trempé, je suis retourné à la réception impériale dans la Grande Salle. J'ai contemplé l'or et l'argent, le velours et la pourpre, j'ai regardé le président Kasa-Vubu et mon voisin, un certain Aye Mamlaye, j'ai respiré le parfum de l'encens et des roses, j'ai écouté Miriam Makeba interpréter un chant zoulou envoûtant, puis, protocole oblige, j'ai fait une révérence à l'Empereur et j'ai regagné mes pénates.*

Après le départ des chefs d'État (lequel se déroula dans la précipitation, car un séjour prolongé à l'étranger pouvait se solder par la perte d'un fauteuil présidentiel), l'Empereur convia à un petit déjeuner le groupe de correspondants étrangers venus couvrir la première conférence des dirigeants africains. Le carton d'invitation nous fut apporté par notre correspondant local à Africa Hall où nous passions nos jours et nos nuits à attendre, dans le découragement et l'exaspération, une connexion avec nos capitales. Il s'appelait Teferra Gebrewold, c'était un Amhara, grand et magnifique, toujours silencieux et renfermé. Mais cette fois, il était agité, ému, bouleversé. Chaque fois qu'il prononçait le nom de Hailé Sélassié, il inclinait solennellement la tête, c'était surprenant. « Formidable ! s'écria Ivo Svarzini, un Gréco-Turco-Chyprio-Maltais, officiellement correspondant de MIB – agence de presse fantôme –, en réalité agent de renseignements pour la compagnie pétrolière italienne ENI. Nous allons pouvoir nous plaindre de nos problèmes de communication. » Il faut savoir que le milieu des correspondants couvrant les coins les plus reculés de la planète est composé de personnages cyniques et durs qui, souvent, en ont vu de toutes les couleurs et sont obligés, pour exercer leur profession, de lutter en permanence contre des obstacles inconcevables pour le commun des mortels. Aussi, rien ne peut les émouvoir ni les bouleverser. Lorsqu'ils sont exténués ou en colère, ils sont capables d'aller se plaindre à l'Empereur en personne des conditions de travail lamentables ou de la piètre assistance

des pouvoirs locaux. Ceci dit, ces gens-là sont aussi
capables de se remettre en question. C'est ce qui arriva
ce jour-là ; après l'intervention de Svarzini, nous
avons tous remarqué que Teferra était devenu pâle
comme un linge. Il s'est penché et s'est mis à parler
de manière nerveuse et confuse. Nous avons fini par
comprendre que si nous déposions notre plainte,
l'Empereur lui ferait couper la tête. Il ne cessait de le
répéter. Notre groupe s'est trouvé divisé. Personnellement j'ai bataillé pour que nous renoncions à la récla-
mation, je ne voulais pas que nous nous retrouvions
avec un mort sur la conscience. La majorité partageait
mon avis. Finalement, nous avons décidé de ne pas
aborder ce sujet lors de la rencontre avec l'Empereur.
Teferra suivait attentivement le débat dont l'issue
aurait dû le réjouir, mais en bon Amhara, il restait
méfiant et soupçonneux — attitude particulièrement
exacerbée à l'égard des étrangers — et il est parti dans
un état de dépression et de découragement profonds.
Le lendemain, nous avons quitté l'Empereur, gratifiés
de médailles en argent ornées des armes impériales. Le
maître de cérémonie nous a raccompagnés jusqu'à la
sortie à travers un interminable couloir. Nous avons
retrouvé Teferra, appuyé contre un mur, dans la position du condamné prêt à entendre la sentence fatale
du tribunal, le visage baissé et dégoulinant de sueur.
« Teferra ! s'est écrié Svarzini, amusé, en lui tapotant
une épaule secouée de tremblements, nous n'avons pas
tari d'éloges à ton égard (ce qui était vrai). Tu vas
prendre du grade ! »

Jusqu'à sa mort, j'ai rendu visite à Teferra chaque fois que je séjournais à Addis-Abeba. Après la déposition de l'Empereur, il resta en activité pendant un certain temps, et – heureusement pour lui – il fut renvoyé du Palais au cours des derniers mois du règne de Hailé Sélassié. Teferra connaissait tous les hommes de l'entourage de l'Empereur, il était même parent avec certains d'entre eux. Comme tous les Amharas, il avait un sens aigu de l'honneur, il savait manifester sa reconnaissance et s'efforçait, par tous les moyens, de me remercier de lui avoir, un jour, sauvé la tête. Peu après la destitution de l'Empereur, j'ai rencontré Teferra dans ma chambre à l'hôtel Ras. La ville vivait l'euphorie des premiers mois de la révolution. Les rues étaient parcourues de manifestations bruyantes, certains soutenaient le gouvernement militaire, d'autres revendiquaient sa démission, des cortèges réclamaient la réforme agraire, d'autres exigeaient le jugement de l'ancienne équipe impériale, il se trouvait même des manifestants pour appeler à la redistribution des biens de l'Empereur aux pauvres. Dès le matin, les rues se remplissaient d'une foule excitée. Des escarmouches, des conflits éclataient çà et là, des pierres voltigeaient. C'est dans ce contexte que j'ai demandé à Teferra de m'aider à retrouver les hommes de l'Empereur. Il a été étonné, mais a accepté d'assumer la responsabilité de ces rencontres. C'est ainsi que nos expéditions clandestines ont commencé. Tous deux, nous formions un couple de collectionneurs en quête de tableaux voués à l'oubli, afin de ressusciter une fresque sur l'art antique de gouverner.

C'est plus ou moins à cette époque qu'a éclaté la folie de la fetasha, qui, par la suite, a pris des proportions inouïes et dont nous sommes tous devenus victimes, tous sans considération de couleur, d'âge, de sexe, de statut social. Fetasha est un mot amharique signifiant fouille. Tout d'un coup, chacun se met à contrôler son voisin. De l'aube au crépuscule, vingt-quatre heures sur vingt-quatre, partout, sans trêve ni repos. La révolution ayant divisé les hommes en camps, la lutte peut commencer. Comme il n'y a ni barricades, ni tranchées, ni lignes de démarcation franches, celui que l'on croise sur son chemin devient un ennemi. Cette atmosphère de terreur est exacerbée par la suspicion maladive que nourrit tout Amhara à l'égard d'autrui (même d'un Amhara). Il ne faut jamais faire confiance à l'autre, il ne faut jamais croire à sa parole, il ne faut jamais compter sur lui, car les intentions des hommes sont foncièrement mauvaises et perverses, ce sont tous des conspirateurs. La philosophie des Amharas est sombre et pessimiste, leur regard est triste mais en même temps, vigilant et inquisiteur, leur visage est grave, leurs traits tendus, leur sourire avare.

Tous possèdent des armes, tous y sont follement attachés. Dans leurs propriétés, les riches possèdent de véritables arsenaux et des armées privées. Certains officiers ont des dépôts d'armes dans leur appartement : mitraillettes, collections de pistolets, caisses de grenades. Récemment encore, les revolvers étaient en vente libre dans les magasins, il suffisait de payer, personne ne demandait rien. Les armes du peuple sont de piètre *qualité et souvent anciennes : fusils à silex, fusils à culasse, fusil à canon court, fusils de chasse — un véritable musée ambulant, d'antiquités souvent inutilisables, car plus personne ne fabrique de munitions pour ces vieux pétards. Tout cela explique que parfois, sur le marché, une cartouche revient plus cher qu'un fusil. Les munitions sont les valeurs les plus cotées, elles sont plus recherchées que les dollars. Car au fond, un dollar, ce n'est qu'un bout de papier, alors qu'une cartouche peut sauver une vie, elle donne un sens aux armes, elle rend invulnérable.*

*La vie humaine — quelle valeur a-t-elle ? L'autre n'existe que dans la mesure où il nous résiste. La vie ne signifie pas grand-chose, mais mieux vaut en priver l'ennemi avant qu'il ait le temps de lever la main sur nous. La nuit entière résonne de coups de feu (la journée aussi), puis les rues sont jonchées de cadavres. « Négus, dis-je à notre chauffeur, on tire trop ici. Ce n'est pas bien. » Il se tait, ne répond pas, j'ignore ce qu'il pense. Ici, les hommes tirent plus vite que leur ombre.*

*Tuer.*

*Ils pourraient peut-être faire autre chose. Ils pourraient peut-être s'en passer. Mais ce n'est pas dans leur mentalité, leur pensée ne va pas dans le sens de la vie, elle n'est orientée que vers la mort. Ils commencent par discuter tranquillement, puis une dispute éclate, ils se chamaillent, et pour finir on entend des coups de feu. D'où viennent ces débordements de nervosité, d'agression, de haine ? Jamais le moindre recul, la moindre* réflexion, le moindre frein. Tête première, ils plongent droit dans le gouffre.

Pour maîtriser la situation et désarmer l'opposition, le pouvoir a instauré une fetasha générale. On est constamment arrêté, contrôlé, fouillé. Dans la rue, dans la voiture, devant la maison (et à la maison), devant un magasin, devant la poste, devant une agence, devant les bureaux de la rédaction, devant une église, devant un cinéma. Devant une banque, devant un restaurant, au marché, dans un parc. On peut se faire fouiller par n'importe qui, car personne ne sait qui est habilité à le faire. Mieux vaut ne pas poser de questions, car cela aggraverait encore plus les choses, mieux vaut se laisser faire. En permanence, on est arrêté, contrôlé, fouillé par des gars en haillons, avec des bâtons, silencieux. Ils tendent les bras en avant pour qu'on les imite, autrement dit, il faut se mettre en position de fouille. Ils commencent alors à vider les porte-documents, à retourner les poches, à tout inspecter, à s'étonner, à froncer les sourcils, à hocher la tête, à se consulter entre eux tout en palpant le dos, le ventre, les jambes, les chaussures de leur proie. Et après ? Il ne se passe rien, on peut poursuivre son chemin, jusqu'à la fetasha suivante où on devra de nouveau tendre les bras. Le problème, c'est que la prochaine fetasha peut avoir lieu deux pas plus loin, tout recommence alors à zéro. On n'est jamais blanchi pour de bon par une fetasha, on n'est jamais disculpé, acquitté, absous une fois pour toutes. À chaque fois, tous les deux mètres, toutes les cinq minutes, toujours et encore, il faut passer à la lessiveuse, se justifier, implorer le pardon. Les fetashas *les plus pénibles sont celles qui ont lieu quand on voyage en car. Des dizaines d'arrêts, tout le monde sort, les bagages sont ouverts, éventrés, trifouillés, renversés, étalés, dévissés. On est fouillés, tâtés, tripotés, pressurés. Puis gonflés comme une pâte qui lève, les bagages sont refourgués dans le car jusqu'à la* fetasha *suivante où ils seront de nouveau déballés, sortis à coups de pieds. Fringues, paniers, tomates, casseroles (on dirait un souk improvisé en bord de route) sont farfouillés, écrabouillés, passés au crible. Les* fetashas *gâchent tellement le voyage qu'à mi-chemin, on a envie de faire demi-tour, mais comment ? Rester en rase campagne, au cœur de montagnes gigantesques, à la merci des brigands ?*

*Parfois les* fetashas *affectent un quartier tout entier. C'est là que les choses sérieuses commencent. Ces* fetashas *sont exécutées par l'armée à la recherche de dépôts d'armes, d'imprimeries clandestines ou d'anarchistes. Pendant l'opération, on entend des coups de feu, puis on voit des morts. Si on a le malheur de tomber sur une opération de ce type (tout innocent qu'on soit), on passe un sale quart d'heure. Mains en l'air, on ralentit le pas et on passe entre les canons des fusils dans l'attente du verdict. Mais le plus souvent, on a affaire à des* fetashas *amateurs, et on finit par s'y faire. Beaucoup de gens fouillent leur voisin de leur propre initiative, ils le tripotent, le palpent, le chatouillent, ce sont des fouilleurs isolés qui agissent seuls, en marge de la* fetasha *officielle. On marche dans la rue et soudain, on est arrêté par un inconnu qui tend les bras. Il n'y a rien à faire : on doit tendre les siens aussi, c'est-à-dire se mettre en position de fouille. On est alors tâté de la tête aux pieds, tiraillé, serré, puis d'un hochement de tête, le fouilleur nous notifie qu'on est libre. Il y a un instant à peine, on était suspecté d'être un ennemi, ces soupçons se sont soudain volatilisés et on nous fiche la paix. Il ne reste plus qu'à poursuivre sa route et à oublier cet incident banal.*

*Un vigile de mon hôtel adorait me faire passer à la* fetasha. *Quand j'étais pressé, je traversais le hall en courant et je grimpais l'escalier quatre à quatre. Il me prenait alors en course et sans me laisser le temps de tourner la clé dans la porte, il se glissait à l'intérieur de ma chambre et me soumettait à une* fetasha *maison. Je faisais des rêves de* fetashas : *une multitude de mains sombres, sales, rapaces, baladeuses, danseuses, fouineuses me malaxent, me tiraillent, me tapotent, me prennent à la gorge jusqu'au moment où je me réveille, trempé de sueur, et je ne peux plus me rendormir jusqu'au matin.*

*Contre vents et marées, je poursuis mes visites des maisons dont Teferra m'ouvre la porte et j'écoute des récits sur l'Empereur, qui semblent venir d'un autre monde.*

A. M.-M. :

Ma fonction de laquais des Trois Portes me conférait le rôle le plus important parmi les valets de la salle d'Audience. Celle-ci ayant trois portes à double battant, trois laquais étaient chargés de leur ouverture et de leur fermeture, mais moi, j'occupais une position supérieure, car ma porte était celle qu'empruntait l'Empereur. Quand Son Incomparable Majesté quittait la salle, j'étais chargé de l'ouvrir. Toute la subtilité de ma tâche consistait à trouver le moment propice, car si j'ouvrais la porte un peu trop tôt, cela pouvait donner l'impression répréhensible que j'éconduisais Sa Majesté de la salle. Si au contraire, j'ouvrais la porte un peu trop tard, Son Incomparable Majesté était dans l'obligation de ralentir le pas, voire de s'arrêter, ce qui pouvait causer préjudice à sa dignité, car Sa Majesté devait se déplacer en harmonie, sans jamais rencontrer le moindre obstacle.

G. S.-D. :

Sa Majesté officiait dans la salle des Audiences entre neuf et dix heures du matin, séance appelée « heure des Nominations ». L'Empereur entrait dans la salle où une rangée de dignitaires candidats l'attendaient, humblement inclinés. Une fois que Sa Majesté était installée sur le trône, je lui glissais un coussinet sous les pieds. Ce geste devait être exécuté à la vitesse de l'éclair afin d'éviter tout ballottement de jambes de Notre Éminent Monarque. Nul n'ignore que Sa Majesté était de petite stature, or la position qu'elle occupait exigeait qu'elle domine ses sujets (au sens

strictement physique du terme). C'est la raison pour
laquelle les trônes de Sa Majesté étaient surélevés,
surtout ceux dont elle avait hérité de l'empereur
Ménélik, homme d'une grandeur exceptionnelle. Il en
résultait un frappant contraste entre l'indispensable
hauteur du trône et la silhouette de Sa Vénérable
Majesté, contraste particulièrement gênant et pénible
au niveau des pieds, car il était impensable de garder
sa dignité avec les pieds qui se balancent comme ceux
d'un petit enfant ! Le coussinet permettait justement
de résoudre ce problème délicat et fondamental. Pendant
vingt-six ans, j'ai assumé les fonctions de porte-
coussinet de Sa Très Vertueuse Majesté. J'accompagnais l'Empereur dans tous ses déplacements à l'étranger, et c'est avec fierté que je puis déclarer que Sa
Majesté ne pouvait aller nulle part sans moi, car sa
fonction exigeait qu'elle prît toujours place sur un
trône, or elle ne pouvait s'y asseoir sans coussinet, et
le porte-coussinet, c'était moi. À cet égard, je maîtri-
sais ce protocole spécifique à la perfection, je disposais
même d'un savoir extraordinairement utile sur la hauteur des différents trônes existants, ce qui me permettait de choisir avec célérité et justesse les coussinets
appropriés afin d'éviter un ajustement fâcheux, c'est-
à-dire un vide entre le coussinet et les chaussures de
l'Empereur ! J'avais une réserve de cinquante-deux
coussinets, de dimensions, épaisseurs, textures et
couleurs différentes. Je surveillais personnellement les
conditions dans lesquelles les coussinets étaient
conservés afin que des puces – véritable fléau dans

notre pays – ne vinssent s'y nicher, car les conséquences d'une telle négligence auraient pu se solder
par un scandale préjudiciable.

**T. L. :**

Mon cher frère, l'heure des Nominations faisait
frémir le Palais tout entier ! Certains tremblaient de joie
et de volupté, d'autres – que voulez-vous ! – de peur et
de désespoir, car à cette heure, Sa Vénérable Majesté
non seulement récompensait, prodiguait et nommait,
mais elle châtiait, destituait et dégradait aussi. Non,
je m'exprime mal ! En réalité, il n'existait pas de partage entre heureux et peureux ; le bonheur et la peur
emplissaient simultanément les cœurs de tous ceux
qui étaient convoqués à la salle des Audiences, car nul
ne connaissait le sort qui lui était réservé. La profonde
sagesse de Sa Majesté reposait justement sur l'ignorance de chacun quant à son destin. Cette incertitude
et le flou des intentions impériales étaient à l'origine
d'interminables potins et spéculations au sein de la
Cour. Le Palais était divisé en factions et coteries qui
menaient entre elles des guerres impitoyables, s'affai-
blissaient et se détruisaient mutuellement. C'était précisément l'objectif de Sa Magnanime Majesté qui
aspirait ainsi à un équilibre lui garantissant une paix
royale. Si une coterie prenait le dessus, Sa Majesté
s'empressait de combler de faveurs la coterie adverse,
faisant pencher la balance au détriment des usurpateurs

désormais paralysés. Sa Majesté appuyait sur les touches d'un clavier – tantôt une blanche, tantôt une noire – et extrayait de son piano une mélodie harmonieuse et apaisante. Et tous de danser au son de cette musique, car leur vie dépendait de la volonté impériale. Si Sa Majesté décidait de leur retirer son agrément, ils disparaissaient du jour au lendemain, sans laisser de trace. Telle est la vérité. Seuls, ils n'étaient rien. Ils n'étaient visibles que sous les feux de la couronne impériale. Hailé Sélassié était un Élu divin constitutionnel, et sa supériorité lui interdisait de s'unir à aucune faction bien qu'il usât abondamment de l'une ou de l'autre. Mais si une coterie qu'il protégeait se permettait de faire du zèle, l'Empereur la châtiait aussitôt, il pouvait même la condamner officiellement. Cela concernait surtout les factions « dures » que Sa Majesté affectaient au maintien de l'ordre. Pourtant, les propos de l'Empereur étaient toujours doux, bienveillants et réconfortants. Le peuple n'a jamais entendu Sa Majesté proférer des paroles de colère. Or nul n'ignore que la bienveillance n'est pas une méthode efficace pour gouverner un empire, il faut quelqu'un pour dompter l'opposition et veiller aux intérêts supérieurs de l'empereur, du Palais et de l'État. C'était précisément le rôle de ces coteries qui, ne comprenant pas bien les intentions subtiles de Notre Monarque, s'embourbaient dans les erreurs en manifestant justement trop d'empressement. Dans leur désir de gagner la reconnaissance de Sa Majesté, elles s'évertuaient à imposer un ordre

absolu alors que Sa Magnanime Majesté était attachée
à un ordre minimal, un équilibre de base, avec une
marge de liberté toutefois qu'elle s'accordait pour
manifester sa mansuétude et son indulgence. Aussi,
quand la coterie des « durs » empiétait sur cette
marge, elle croisait le regard réprobateur du souverain.
Dans le Palais, il y avait trois factions principales : les
aristocrates, les bureaucrates et les intimes de l'Empereur. Composée de grands propriétaires terriens, la
faction ultra-conservatrice des aristocrates constituait
l'ensemble du Conseil de la couronne et avait pour
meneur le prince Kassa, aujourd'hui exécuté. La faction des bureaucrates, la plus favorable aux changements et la plus éclairée – une partie des ses
représentants avait reçu une éducation supérieure –
occupait les ministères et les bureaux impériaux.
Enfin, créée par l'Empereur en personne, la faction
des intimes constituait une spécificité de notre régime.
Partisane d'un État fort et d'un pouvoir centralisé,
Sa Majesté était contrainte de mener un combat astu-
cieux et habile contre la coterie des aristocrates qui
voulait gouverner les provinces avec un empereur
faible et complaisant. Mais comme Sa Majesté ne
pouvait pas lutter elle-même contre l'aristocratie, elle
s'entourait en permanence de jeunes gens vifs qu'elle
nommait spécialement à cet effet, des sujets d'origine
plutôt modeste, venant des couches les plus pauvres
de la société et sélectionnés au petit bonheur la
chance parmi la populace quand Sa Majesté prenait un
bain de foule. Transférés directement de notre province

déplorable et misérable dans les salons de notre éminente cour royale, ils se heurtaient à la haine et l'hostilité naturelle des aristocrates de souche mais
prenaient vite goût aux splendeurs du Palais et aux
charmes du pouvoir. Ils se mettaient au service de
l'Empereur avec une ardeur, voire une passion indes-
criptibles, conscients de faire partie du cercle des
grands dignitaires par la seule et unique volonté de
Sa Majesté royale. C'est à eux que l'Empereur attri-
buait les postes de confiance : le ministère de la
Plume, la police politique impériale, la surintendance
du Palais. C'étaient eux qui démasquaient les complots et les machinations, c'étaient eux qui luttaient
contre l'opposition arrogante et pernicieuse. Car il
faut bien que vous sachiez, monsieur le journaliste,
que l'Empereur non seulement décidait de toutes les
nominations, mais qu'il les notifiait personnellement.
Lui, et seulement lui ! Il pourvoyait les postes aux
sommets de la hiérarchie, mais il se préoccupait aussi
des échelons intermédiaires et inférieurs. Il affectait
les directeurs de bureaux de postes, d'écoles, de bras-
series, d'hôpitaux, d'hôtels, les agents de police, les
employés de bureau, les économes, et je le répète une
fois encore, il nommait tout ce monde en personne.
Ils étaient convoqués dans la salle des Audiences à
l'heure des Nominations et là, formant une interminable file – il s'agissait en effet d'une foule innom-
brable ! –, ils attendaient l'arrivée de l'Empereur. Puis
chacun à son tour s'approchait du trône, s'inclinait
devant Sa Majesté avec émotion, écoutait la décision

impériale, baisait la main de son bienfaiteur et sortait à reculons. Même l'affectation la plus insignifiante relevait de la compétence de l'Empereur pour la simple et bonne raison que la source du pouvoir n'était ni l'État ni une autre institution, mais uniquement Sa Bienveillante et Magnanime Majesté. C'était un principe sacro-saint ! Car dès l'instant où l'Empereur avait notifié sa nomination et donné sa bénédiction, un lien particulier s'instaurait entre lui et son sujet, un lien régi par les lois de la hiérarchie certes, mais un lien quand même. Il représentait l'unique règle guidant Sa Majesté pour élever ou dégrader ses sujets, une règle qui porte le nom de loyauté. Mon ami ! Si vous connaissiez le nombre de délations parvenues à l'oreille impériale au sujet de son plus proche collaborateur, Walde Giyorgis ! Elles pourraient remplir une bibliothèque entière. C'était la personnalité la plus perverse, la plus repoussante et la plus corrompue qui ait jamais effleuré les parquets de notre Palais. Le simple fait de rédiger une dénonciation au sujet de cet homme exposait son auteur aux conséquences les plus funestes. Il faut croire que la situation était mauvaise puisque les dénonciations ne cessèrent d'affluer pendant des années. L'oreille de l'Empereur demeurait toutefois close. Walde Giyorgis pouvait agir à sa guise. Sa licence ne connaissait point de limites. Mais aveuglé par son arrogance et son impunité, il participa un jour à une réunion de conjurés, et sa Vénérable Majesté en fut informée. Sa Majesté attendait que Walde Giyorgis lui parlât lui-même de ces agissements, mais ce dernier n'y fit même pas allusion, autrement dit, il viola le principe de loyauté. Le jour suivant, Sa Majesté entama l'heure des Nominations par le cas de son propre ministre de la Plume, un homme qui partageait pratiquement le pouvoir avec Sa Magnanime Majesté : du poste de deuxième figure de l'État, Walde Giyorgis fut déchu à un emploi de petit fonctionnaire au fin fond de la province méridionale du pays. Après avoir entendu sa nomination – imaginez-vous un peu la stupéfaction et l'horreur qui durent l'accabler en entendant la sentence impériale –, il baisa la main de son bienfaiteur conformément à la coutume et quitta à jamais le Palais, à reculons, tout en se prosternant. Prenons un autre exemple, celui du prince Imru. C'était, sans doute, la personnalité la plus brillante de notre élite, un homme digne des honneurs et des postes les plus élevés. Mais quelle importance puisque – comme je l'ai déjà dit – Sa Bienveillante Majesté ne se laissait jamais guider par le principe des compétences, elle ne se fiait qu'au principe de loyauté. Nul ne sait dans quelles circonstances et pour quelles raisons le prince Imru se sentit soudain pousser des ailes de réformateur. Toujours est-il que, sans demander l'autorisation impériale, il se mit à distribuer une partie de ses terres aux paysans. Agissant à l'insu de l'Empereur, de sa propre initiative, il viola le principe de loyauté de manière exaspérante et provocante. Sa Gracieuse Majesté, qui s'apprêtait à confier au prince une charge hautement honorifique, fut contrainte de l'exiler et de le maintenir à l'étranger pendant une vingtaine d'années. Il faut toutefois préciser que Sa Majesté n'était pas opposée aux réformes. Au contraire, elle considérait le progrès et les améliorations avec sympathie, mais elle ne pouvait souffrir que des réformes soient entreprises sans sa caution, car premièrement, cela créait une menace d'anarchie ; deuxièmement, cela pouvait donner l'impression que l'Empire abritait d'autres bienfaiteurs que Son Auguste Majesté. Aussi, quand un ministre un tant soit peu habile et avisé souhaitait instaurer la moindre réforme dans son domaine, il devait présenter son dossier, l'éclairer et le formuler de telle sorte que Sa Majesté impériale passe de manière claire, irréfutable et évidente pour le gracieux et scrupuleux instigateur, créateur et intercesseur de la réforme, même si, en réalité, Sa Majesté ne savait pas de quoi il s'agissait. Mais hélas, les ministres n'étaient pas tous des lumières ! Il arrivait que des jeunes gens, peu coutumiers des traditions du Palais, ou des sujets guidés par leur propre ambition et désireux de s'attirer l'estime du peuple – comme si la reconnaissance de l'Empereur n'était pas la seule qui comptât ! – s'essayaient d'eux-mêmes à des réformettes. Ils semblaient ignorer qu'ils violaient le principe de loyauté et creusaient leur propre tombe en enterrant, par la même occasion, leur réforme qui, sans l'aval impérial, n'avait aucune chance de voir la lumière du jour. Pour être franc, je dirais que Sa Magnanime Majesté préférait les mauvais ministres. Elle les préférait pour la bonne raison que Sa Majesté aimait paraître à son avantage.

Comment l'aurait-elle pu si elle était entourée de
bons ministres ? Le peuple aurait été désorienté. À qui
aurait-il pu demander de l'aide ? En qui aurait-il pu
trouver sagesse et bonté ? Tout le monde aurait été
bon et sage. Quel désordre aurait régné dans
l'Empire ! Au lieu d'un seul soleil, il y en aurait eu
cinquante, et chaque sujet aurait rendu hommage, en
privé, à l'astre de son choix. Non, mon cher ami, une
telle liberté ne peut être que funeste, on ne peut exposer le peuple à un tel danger. Il ne peut exister qu'un
seul soleil. Tel est l'ordre de la nature, toutes les autres
théories ne sont qu'hérésie. Vous pouvez être assuré
que Sa Majesté brillait au firmament. Elle brillait par
sa grandeur et sa magnanimité, et le peuple savait, à
coup sûr, de quel côté se trouvait la lumière et de quel
côté se trouvait l'ombre.

Z. T. :

À l'heure des Nominations, Sa Majesté voyait,
devant elle, la tête inclinée de celui qu'elle avait promu
à une haute dignité. Mais malgré sa perspicacité, le
regard de sa Magnanime Majesté ignorait ce qui allait
advenir de cette tête. Exécutant des mouvements de bas
en haut tant qu'elle était dans la salle des Audiences, la
tête se redressait brusquement une fois qu'elle avait
franchi la porte pour se figer dans une posture altière et
déterminée. Oui, mon bon monsieur, telle était effectivement la puissance époustouflante de la nomination

impériale ! Sous l'effet de la bénédiction royale, cette tête, d'ordinaire habituée à remuer avec naturel et liberté, souplesse et décontraction, à pivoter, s'incliner, se pencher et se ployer, se trouvait désormais réduite à un mouvement mécanique dans deux sens uniquement, vers le bas quand elle se trouvait face à sa Majesté, vers le haut quand elle se trouvait face aux autres. Réglée sur cet axe vertical, sur ce mouvement à sens unique, elle ne pouvait plus tourner à sa guise. Si quelqu'un arrivait par-derrière et lui criait soudain : « Hé, monsieur ! », elle était incapable de se tourner dans la direction de la voix et était obligée de s'arrêter dignement et d'exécuter un tour complet avec le corps tout entier. Employé comme fonctionnaire du protocole dans la salle des Audiences, j'ai eu le loisir d'observer les modifications physiques provoquées par les nominations. Je me suis ainsi rendu compte que ces mutations étaient fondamentales. J'ai été tellement frappé par ce phénomène que je me suis mis à l'étudier de près. C'est surtout la silhouette de l'homme qui change. Naguère fine et élancée, elle se met à évoluer vers une forme quadrilatère, un carré massif, solide, symbole de la gravité et du poids du pouvoir. La silhouette traduit déjà l'importance du personnage, son prestige, sa responsabilité. Ce changement s'accompagne en général d'un ralentissement des mouvements. L'homme qui vient d'être distingué par Sa Vénérable Majesté ne se déplace plus en sautillant, en galopant, en frétillant, en folâtrant. Non, son pas est désormais grave, ses pieds sont solidement ancrés dans le sol, la légère inclinaison de son corps vers l'avant traduit une aptitude à faire face à l'adversité, les mouvements de ses mains sont mesurés, dénués de toute gesticulation nerveuse et chaotique. De même ses traits deviennent sérieux et semblent figés, son visage soucieux et fermé, avec toutefois une aptitude à des éclairs cycliques d'approbation et d'optimisme, mais en général il est tellement pétrifié qu'il n'incite pas au contact psychologique. On ne peut se détendre et souffler face à un tel visage. Le regard change également. Sa portée et son champ visuel ne sont plus les mêmes. Ses yeux sont désormais pointés vers un horizon totalement inaccessible. On comprend pourquoi le nominé ne peut pas voir celui avec lequel il discute pour des raisons d'optique évidentes, car son point focal se trouve loin, très loin, bien au-delà de son interlocuteur. Il ne peut pas le voir non plus parce que son angle de vision est très ouvert et son regard glisse par-dessus sa tête, un peu comme un périscope, qui permet de voir par-dessus un obstacle. Même s'il est plus petit de taille, le nominé scrute un lointain insondable ou semble perdu dans ses pensées. Même si ses pensées ne sont pas profondes, elles sont à coup sûr plus importantes, plus responsables que celles de son partenaire. Conscient que toute tentative de communication serait insensée et mesquine, son interlocuteur s'enferme dans le silence. Le favori de l'Empereur ne communique pas non plus parce que la nomination a aussi le pouvoir de modifier son mode d'expression.

Monosyllabes, grognements, toussotements, changements d'intonations, poses lourdes de sens, paroles vagues remplacent désormais les phrases pleines et claires, le tout accompagné d'un air de tout savoir depuis longtemps et mieux que tout le monde. Devant le nominé, on se sent en trop et on sort, tandis que sa tête continue de hocher selon un axe vertical, de bas en haut et de haut en bas, en signe d'adieu. Sa Bienveillante Majesté ne se contentait toutefois pas de nominer ses sujets, il lui arrivait, hélas, de les dégrader quand elle constatait leur déloyauté. Et passez-moi l'expression, mon ami, il lui arrivait de les flanquer sur le pavé. Ainsi, j'ai pu constater que le pavé avait le pouvoir d'effacer les modifications physiques induites par la nomination. À son contact, l'homme déchu revenait à la normale, il se mettait même à manifester une tendance nerveuse et peut-être un peu exagérée à la fraternisation, comme s'il voulait étouffer ce passé, comme s'il voulait tourner la page, comme s'il avait été victime d'une maladie bénigne.

M. :

Mon ami, vous me demandez pourquoi, pendant la dernière période du règne impérial, un homme sans fonction officielle et originaire de la plèbe comme Aklilu avait plus de pouvoir que le prince Makonen, qui dirigeait le gouvernement et était issu de la

noblesse ? Au Palais, le degré de pouvoir était lié, en
effet, non pas à la hiérarchie mais au nombre d'accès
à l'oreille de Sa Très Vertueuse Majesté. Au Palais, nul
n'ignorait que le plus important était celui qui disposait de l'écoute impériale le plus souvent. Le plus souvent et le plus longtemps. Cette oreille était l'objet de
luttes acharnées entre les coteries, elle était leur enjeu
suprême. Le seul fait de s'en approcher et de lui murmurer un mot – chose déjà difficile en soi – était
un véritable honneur ! Un murmure, rien de plus.
L'essentiel était d'y laisser une trace, une impression
même volatile, une graine même minuscule. Un jour
viendrait où cette impression prendrait corps, où la
graine germerait et où le fruit pourrait enfin être
récolté. Ces manœuvres subtiles exigeaient un tact
immense, car malgré son exceptionnelle énergie et
son endurance étourdissantes, Sa Majesté demeurait un
être humain, son oreille avait une capacité d'écoute
naturellement limitée, on ne pouvait la bourrer et la
surcharger au risque de provoquer son irritation ou
ses réprimandes. Le nombre d'accès était donc limité
et le partage de l'oreille impériale faisait l'objet de
luttes incessantes. Celles-ci alimentaient les ragots les
plus animés au sein du Palais et trouvaient même des
échos passionnés dans la ville. Ainsi par exemple, un
homme comme Abeje Debalk, sous-fifre au ministère
de l'Information, était coté à quatre auditions hebdomadaires alors que son supérieur, au grand maximum,
à deux. L'Empereur plaçait ses hommes de confiance
le plus souvent à des postes subalternes mais néanmoins

puissants grâce au grand nombre d'accès dont ils
bénéficiaient et qui faisait pâlir d'envie tous les
ministres et tous les membres du Conseil de la couronne. Les luttes étaient d'une âpreté fascinante. Le
valeureux général Abiye Abebe jouissait de trois accès
hebdomadaires alors que son rival, le général Kebede
Gebre (tous deux aujourd'hui exécutés) n'en avait
qu'un seul. Mais la coterie de Gebre avait si bien
manœuvré, si bien sapé la coterie éminente mais déjà
pourrissante d'Abebe que ce dernier tomba à deux
puis à un seul accès tandis que Gebre, qui avait rem-
porté certains succès au Congo et était bien vu à
l'étranger, était monté à un niveau de quatre auditions
hebdomadaires. Personnellement, mon ami, je pou-
vais compter, dans le meilleur des cas, sur un accès
mensuel, même si ma cote passait pour plus élevée.
Ma position était néanmoins enviable et honorable,
car en dessous de ceux qui avait un accès direct et
inestimable, il y avait toute la pyramide de ceux qui
devaient passer par un, deux, trois intermédiaires,
voire davantage, pour atteindre l'oreille impériale.
Là aussi, ce n'étaient que discordes, coups de griffes,
manœuvres et subterfuges. Oh ! Comme on s'inclinait
devant celui dont on savait qu'il avait beaucoup
d'accès, même s'il n'était pas ministre ! Et celui qui en
avait de moins en moins savait que Sa Bienveillante
Majesté le poussait sur une pente glissante. J'ajouterai
que, par rapport à sa modeste taille et sa tête bien pro-
portionnée, Sa Vénérable Majesté avait des oreilles de
grandes dimensions.

I. B. :

J'étais le porte-bourse d'Aba Hanna Jema, le pieux
trésorier et confesseur de l'Empereur. Tous deux
avaient le même âge, la même taille et la même allure.
Parler d'une quelconque ressemblance avec Sa Vénérable Majesté élue de Dieu sonne comme une insolence répréhensible, mais dans le cas d'Aba Hanna, je
peux me permettre une telle audace, car l'Empereur
vouait une profonde confiance à mon maître. La
preuve de cette intimité était le nombre illimité
d'accès au trône dont Aba Hanna jouissait, un accès
quasi permanent, si je peux m'exprimer ainsi. Cumu-
lant les fonctions de gardien du trésor et de confesseur
de Notre Très Regretté Monarque, Aba avait un œil
tant sur l'âme que sur la poche de l'Empereur, autant
dire qu'il pouvait contempler la personne impériale
dans son éminente totalité. À titre de porte-bourse,
j'accompagnais mon maître dans toutes ses activités
fiscales, je le suivais avec la bourse en peau d'agneau
pleine fleur que les démolisseurs de l'Empire exhi-
bèrent, par la suite, dans les rues. J'étais aussi chargé
de la surveillance d'une autre bourse, plus grande et
bourrée de menue monnaie, la veille des fêtes natio-
nales : l'anniversaire de l'Empereur, la commémoration de son couronnement et celle de son retour
d'exil. À ces occasions, Notre Auguste Souverain se
rendait dans le quartier le plus animé et le plus popu-
leux d'Addis-Abeba appelé Mercato. Je posais le sac
pesant et cliquetant sur une estrade, spécialement

construite, où trônait Sa Très Généreuse Majesté. Elle puisait, par poignées, des piécettes en cuivre qu'elle jetait à la foule cupide de mendiants et autre racaille. Mais la plèbe vorace générait un tel chaos que cet acte charitable se terminait immanquablement par une grêle de coups de bâtons de la police sur les têtes de la populace en liesse et surexcitée. Quant à Sa Majesté, elle quittait l'estrade dans la tristesse sans même avoir eu le temps de vider la moitié de la bourse.

**W. A.-N. :**

... et alors, après avoir fermé le chapitre des nominations, Son Infatigable Majesté passait dans la Salle Dorée où elle entamait l'heure du Coffre. Cette séance se déroulait entre dix et onze heures du matin. À ce moment de la journée, Sa Magnanime Majesté était accompagnée du très pieux Aba Hanna, lui-même assisté par son indéfectible porte-bourse. Pour peu qu'on ait l'odorat fin et l'ouïe aiguisée, on pouvait sentir le parfum et le bruissement de l'argent dans le Palais tout entier. Mais pour cela, il fallait une sensibilité particulière doublée d'une certaine imagination, car l'argent sous sa forme matérielle ne traînait pas dans les coins des salons. Sa Gracieuse Majesté n'était d'ailleurs pas encline à distribuer des liasses de dollars à ses favoris. Non, Sa Majesté ne goûtait guère ce genre de plaisir ! Mon cher ami, cela peut vous sembler inconcevable, mais même la bourse d'Aba Hanna

n'était pas un puits sans fond, et les maîtres de cérémonie devaient avoir recours à moult stratagèmes
pour que l'Empereur ne soit confronté à des gênes
financières. Je me souviens, par exemple, qu'après
l'édification d'un Palais impérial, le Genete Leul, Sa
Majesté régla les salaires des ingénieurs étrangers mais
négligea de payer ses propres maçons. Les rustauds se
rassemblèrent alors devant la façade du Palais qu'ils
venaient de construire et réclamèrent leur dû. Le
maître suprême des cérémonies apparut au balcon et
les exhorta à passer dans l'arrière-cour du Palais où Sa
Bienveillante Majesté leur jetterait l'argent. Délirant
de joie, le troupeau se déplaça à l'endroit indiqué, ce
qui permit à Sa Magnanime Majesté de s'éclipser sans
encombre par la porte d'honneur et de gagner le
Vieux Palais où sa Cour l'attendait dans l'humilité.
Où qu'elle allât, Sa Majesté était accueillie par une
foule d'une gloutonnerie déchaînée et insatiable, qui
réclamait tantôt du pain, tantôt des chaussures, tantôt
du bétail, tantôt des fonds pour construire une route.
Or Sa Majesté aimait visiter la province, elle aimait
laisser venir à elle le petit peuple, prendre connaissance
de ses soucis, le bercer de promesses, louer les humbles
et les travailleurs, châtier les paresseux et les rebelles.
Mais la prédisposition de Sa Bienveillante Majesté
portait préjudice au Trésor, car avant, il convenait de
préparer la province à sa visite : passer un coup de
balai et de peinture, enterrer les ordures, exterminer
les mouches, construire des écoles, donner aux gosses
des uniformes, rénover les bâtiments municipaux,

coudre des drapeaux, peindre des portraits de Notre Vénérable Monarque. Sa Majesté ne pouvait se permettre de faire une visite intempestive, de surgir comme un vulgaire percepteur d'impôts, bref, d'être confrontée à la vie telle qu'elle est. Imaginez-vous un peu l'étonnement et la panique des notables locaux ! Leurs tremblements et leur frayeur ! Un souverain ne peut pas fonctionner dans un climat de terreur. Un souverain, c'est avant tout une convention avec des règles précises. Imaginez-vous, mon cher ami, que Sa Très Exceptionnelle Majesté ait l'habitude de faire des surprises. Supposons, par exemple, qu'elle prenne l'avion en direction du nord où tout est prêt pour l'accueillir – protocole irréprochable, cérémonies parfaitement réglées, province étincelante comme un miroir – et soudain, dans l'avion, Sa Vénérable Majesté interpelle le pilote et lui ordonne : Mon fils, fais demi-tour ! Nous allons vers le sud. Or, dans le sud, c'est le vide ! Rien n'est prêt ! Tout est négligé, crasseux, déguenillé, noir de mouches. Le gouverneur est monté à la capitale, les notables dorment, la police parcourt les villages pour plumer ses habitants. Imaginez-vous le malaise de Sa Bienveillante Majesté ! Sans parler de l'affront à sa dignité ! Et du ridicule, même, osons nommer les choses par leur nom ! Nous avons des provinces où le peuple est désespérément sauvage, nu et païen. Sans l'autorité de la police il serait capable d'offenser Sa Majesté Impériale. Nous avons des provinces où la paysannerie inculte serait capable de fuir de peur à la vue du monarque. Imaginez-vous, mon cher ami, Sa Très Exceptionnelle Majesté tout juste sortie de l'avion, et autour d'elle c'est le néant, le silence, des champs déserts, pas âme qui vive à mille lieues à la ronde. Personne à qui s'adresser, à qui faire un discours, à consoler, pas un arc de triomphe, pas même une voiture. Que faire ? Comment se comporter ? Poser un trône et dérouler un tapis ? L'effet serait pire encore, d'un ridicule fini. Le trône confère de la dignité, mais seulement par contraste avec la soumission environnante. N'est-ce pas l'humilité des sujets qui crée la puissance du trône et lui confère un sens ? Sans elle, le trône n'est qu'une décoration, un siège inconfortable au velours râpé et aux ressorts distendus. Un trône dans un désert inhabité, c'est burlesque, grotesque, extravagant. Y prendre place ? Attendre le chaland ? Compter sur la venue d'un sujet qui viendrait rendre hommage ? Sans compter qu'il n'y a même pas de voiture pour aller chercher au village le préfet. Sa Vénérable Majesté le connaît, mais comment le trouver s'il n'est même pas prévenu ? Que reste-t-il donc à faire à Sa Majesté ? Jeter un regard autour d'elle, se rasseoir dans l'avion et rebrousser chemin vers le nord où elle est attendue dans l'allégresse et l'impatience : protocole, cérémonies et décors plus étincelants qu'un miroir. Vu les circonstances, peut-on s'étonner que Sa Clémente Majesté n'aimait guère les surprises ? Admettons qu'elle ait surpris tantôt les uns, tantôt les autres, tantôt ici, tantôt là. Aujourd'hui elle a surpris la province de Bale, une semaine plus tard celle du Tigré.

Son constat est sans appel : tout est délabré, crasseux, noir de mouches. Elle convoque les notables de la province à Addis-Abeba, à l'heure des Nominations, elle les châtie et les destitue. L'information fait le tour de l'Empire. Résultat : les notables de l'État passeront leur temps à scruter le ciel pour guetter l'avion de Sa Magnanime Majesté. Le peuple dépérit, la province tombe en ruines, tant pis ! Des broutilles à côté de la peur suscitée par la colère impériale ! Le pire, c'est que se sentant fragilisés et menacés au point d'en perdre la tête, unis par un malaise et une terreur communes, ils se mettent à murmurer, à grimacer, à geindre, à cancaner sur la santé de Sa Gracieuse Majesté pour finir par comploter, inciter à la rébellion, saper et miner le pouvoir qu'ils jugent inclément et qui – Ô impudente pensée ! – les empêche de vivre. Aussi, afin d'éviter les troubles dans l'Empire et échapper à la paralysie du pouvoir, Sa Majesté trouva un heureux compromis qui apporta la paix tant à ses notables qu'à elle-même. Aujourd'hui, les dévastateurs du pouvoir monarchique reprochent à Sa Très Valeureuse Majesté d'avoir fait construire, dans chaque province, un Palais prêt à la recevoir à tout moment. Certes, ces constructions ont généré certains excès. C'est le cas, par exemple, de l'impressionnant Palais construit au cœur du désert de l'Ogaden et entretenu pendant des années avec valetaille au complet et garde-manger toujours plein et frais alors que Son Infatigable Majesté n'y passa qu'une seule journée. Mais supposons que Son itinéraire ait conduit Sa Magnanime

Majesté à passer une nuit au cœur du désert. La nécessité de ce Palais n'aurait-elle pas été évidente ? Notre peuple obscur est, hélas ! incapable de comprendre les raisons supérieures qui guident les actes de nos monarques.

E. :

La Salle Dorée, monsieur Kapouchinski, l'heure du Coffre. Aux côtés de l'Empereur se tient le vénérable Aba Hanna, derrière lui son porte-bourse. Dans un autre coin de la salle s'entasse une foule apparemment anarchique mais qui connaît, en fait, parfaitement sa place. Je me permets de parler de foule, car Sa Clémente Majesté recevait quotidiennement une quantité infinie de sujets. Quand elle résidait à Addis-Abeba, le Palais grouillait de monde, bouillonnait de vie – même si cette dernière était naturellement hiérarchisée –, des files de voitures traversaient la cour, des délégations se pressaient dans les galeries, des ambassadeurs bavardaient dans les antichambres, les maîtres de cérémonie allaient et venaient, le regard enfiévré, les sentinelles étaient relevées, des messagers accouraient avec des serviettes bourrées de documents, des ministres passaient faire un tour, en toute simplicité, comme s'ils faisaient partie du commun des mortels, des centaines de sujets tentaient de glisser des pétitions ou des délations à des dignitaires, on pouvait aussi voir des généraux, des membres du Conseil de la couronne, des fondés de pouvoir impériaux, des préfets. Bref, une foule excitée et grave qui disparaissait instantanément dès que Sa Majesté partait en délégation à l'étranger ou allait en province poser une première pierre, inaugurer une route ou compatir avec le peuple, le consoler, l'encourager. Le Palais se vidait aussitôt et se transformait en maquette, en accessoire, en décor, les domestiques faisaient la lessive et étendaient le linge sur des fils, les enfants des courtisans faisaient paître les chèvres sur les pelouses, les maîtres de cérémonie filaient dans les bars de la ville, les sentinelles fermaient les portes avec des chaînes et s'endormaient sur place. Mais dès que Sa Majesté revenait, les fanfares retentissaient et le Palais ressuscitait. La Salle Dorée était toujours vibrante d'électricité. Les tempes des sujets convoqués étaient traversées par un courant qui les faisait tressaillir. D'où venait cette nervosité ? De la petite bourse en peau d'agneau pleine fleur, que tout le monde pouvait voir. À tour de rôle, les gens s'approchaient de Sa Généreuse Majesté pour exposer leurs besoins financiers. Sa Majesté écoutait, puis elle posait des questions subsidiaires. Il faut avouer que Sa Miséricordieuse Majesté était très pointilleuse en matière d'argent. La moindre dépense occasionnée dans l'Empire, qui dépassait dix dollars, nécessitait l'approbation de Sa Majesté en personne. Un ministre qui venait quémander l'autorisation de dépenser un dollar, était fort bien vu et félicité. Les frais les plus minimes requerraient l'accord impérial : la réparation d'un véhicule ministériel, le remplacement de canalisations en ville, l'achat de draps pour un hôtel. Mon ami, la capacité de travail et le sens de l'économie de Son Auguste Majesté ne peuvent que susciter l'admiration. Elle passait le plus clair de son temps royal à vérifier les comptes, à écouter les estimations de coûts, à refuser des bilans, à réfléchir sur la rapacité, la ruse et les harcèlements de l'engeance humaine. Pour autant, Sa Majesté ne manifestait jamais d'ennui ni de lassitude dans ces occupations. Sa vive curiosité, sa vigilance et son sens de l'épargne étaient remarquables et exemplaires. Sa Majesté avait un penchant pour tout ce qui concerne la fiscalité. D'ailleurs, son ministre des Finances, Yelma Deresa, faisait partie des dignitaires jouissant du plus grand nombre d'accès à l'oreille impériale. Il n'en demeure pas moins que Sa Majesté était capable, aussi, de prodiguer des largesses à l'égard de ceux qui se trouvaient dans le besoin. Une fois qu'elle avait écouté les réponses à ses questions subsidiaires, Sa Bienveillante Majesté informait le quémandeur que ses difficultés financières étaient résolues. Aux anges, l'homme s'inclinait profondément. Sa Généreuse Majesté tournait alors la tête en direction d'Aba Hanna et dans un murmure, lui suggérait la somme que le pieux dignitaire devait extraire de la bourse. Aba Hanna plongeait la main dans le petit sac, extrayait la somme, la glissait dans une enveloppe et la remettait à l'heureux destinataire tout ému qui, révérence sur révérence, sans cesser de reculer, trébuchant et traînant des pieds, sortait de la Salle Dorée. Après, malheureusement, Monsieur Kapouchinski, on entendait

les pleurs de ces misérables ingrats. Car l'enveloppe
ne contenait qu'une infime partie de la somme qué-
mandée et promise – à en croire les serments de ces
détrousseurs invétérés – par Sa Généreuse Majesté.
Comment réagir ? Revenir sur ses pas ? Faire une péti-
tion ? Accuser le dignitaire le plus proche du cœur
royal ? Aucune de ces solutions n'était envisageable.
Oh ! Jamais vous ne pourrez imaginer la haine suscitée par le pieux confesseur et trésorier de l'Empereur.
Car n'osant pas souiller la dignité impériale, l'opinion
publique s'en prenait à Aba Hanna, le ladre et
l'escroc. Elle lui reprochait de ne pas enfoncer vraiment la main dans la bourse, de l'effleurer seulement,
de se contenter de filtrer l'argent entre ses doigts, de
manifester un dégoût à fouiller dans la bourse comme
si elle grouillait de serpents venimeux, sans même
regarder ce qu'il en extrayait puisqu'il sentait la valeur
de l'argent au poids des pièces et à la taille des billets.
Aba Hanna remettait alors l'enveloppe en faisant
signe au sujet de déguerpir à reculons et en se prosternant. Aussi, quand il fut fusillé, je pense qu'il n'y eut
pas grand monde pour le pleurer, à part Sa Charitable
Majesté. Une enveloppe vide ! Monsieur Kapouchinski, savez-vous ce que signifie l'argent dans un pays
pauvre ? L'argent, dans un pays riche et dans un pays
pauvre, ce n'est pas du tout pareil ! Dans un pays
riche, l'argent, c'est un bout de papier avec lequel
on peut acheter des produits au marché. On est tout
simplement un client. Même un millionnaire n'est
qu'un client comme les autres. Il peut acheter plus de

choses, mais il reste un client et rien de plus. Mais dans un pays pauvre ? Dans un pays pauvre, l'argent est une haie merveilleuse, touffue, odorante, éternellement fleurie, qui protège de tout. Grâce à elle, on ne voit pas la pauvreté rampante, on ne sent pas la puanteur de la misère, on n'entend pas les voix provenant des bas-fonds. On sait pourtant que ce monde existe, et la haie procure une fierté immense. On a de l'argent et donc des ailes. On est un oiseau du paradis qui suscite l'admiration. Pouvez-vous vous imaginer, Monsieur, en Hollande, une foule se rassemblant pour admirer un millionnaire hollandais ? Ou en Suède ? Ou en Australie ? Chez nous, c'est possible. Chez nous, il suffit qu'un prince surgisse pour que les gens accourent pour le regarder. Ils accourent pour contempler le millionnaire et après, pendant longtemps, ils raconteront à droite et à gauche : J'ai vu un millionnaire ! Quand on est riche, on voit son pays comme une terre exotique. On est étonné de tout : du mode de vie de ses habitants, de leurs inquiétudes. On se dit que ce n'est pas possible. De plus en plus souvent, on se répète que ce n'est vraiment pas possible. Car on appartient à un autre monde, et comme on n'est pas sans ignorer la loi selon laquelle deux mondes ne peuvent se connaître ni se comprendre, on devient sourd et aveugle. On se sent bien dans son cocon protégé par sa haie. Les signaux en provenance de l'autre monde sont incompréhensibles, on a l'impression qu'ils sont envoyés par des extra-terrestres. Si on en a envie, on peut devenir explorateur dans son propre pays. On peut devenir un Christophe Colomb, un Magellan, un Livingstone. Mais je doute qu'on en ait envie. Ces expéditions sont dangereuses et on n'est pas fou. On est simplement un homme de sa civilisation, on la défend, on se bat pour elle. On arrose sa haie. On est le jardinier dont l'Empereur a besoin. On ne veut pas perdre de plumes. Or l'Empereur a besoin de gens qui ont beaucoup à perdre. Notre Bienveillant Monarque jetait des piécettes aux pauvres, mais il couvrait de largesses ses courtisans. Il leur distribuait des propriétés, des terres, des paysans dont ils pouvaient soutirer des impôts, il leur donnait de l'or, des titres, des capitaux. Chacun – à condition de faire preuve de loyauté – pouvait compter sur des dons généreux. Pourtant les coteries étaient constamment déchirées par des querelles, des luttes pour des privilèges, des frictions, des empoignades, à cause justement de ce fameux désir d'oiseau du paradis qui habite tout être humain. Son Incomparable Majesté regardait avec intérêt ses sujets jouer des coudes. Elle aimait voir ses courtisans augmenter leur fortune, grossir leurs comptes en banque, gonfler leurs bourses. Je n'ai pas le souvenir que Notre Généreux Monarque ait un jour retiré sa nomination à un courtisan ou qu'il l'ai jeté sur le pavé pour prévarication. Ses sujets pouvaient s'adonner, à cœur joie, à la corruption pourvu qu'ils restent loyaux ! Grâce à son incomparable mémoire et grâce aussi aux délations qui ne cessaient d'affluer, Notre Monarque connaissait exactement le montant de la fortune de chacun, mais il gardait cette comptabilité pour lui, il n'en faisait jamais usage si le sujet avait un comportement loyal. Mais pour peu qu'il sentît une ombre de déloyauté, il confisquait tout sur le champ ; il retirait au traître son oiseau du paradis ! Grâce à cette comptabilité, le Roi des Rois tenait tout en main. Nul ne l'ignorait. Le Palais connut pourtant un cas à part : Tekele Wolda Hawariat, l'un de nos plus nobles patriotes, grand résistant pendant la guerre contre Mussolini. Mal disposé à l'égard de l'Empereur, Tekele Wolda Hawariat refusait les cadeaux et les privilèges de Sa Très Généreuse Majesté. Il ne manifesta jamais aucun penchant pour la corruption, attitude qui lui valut des années d'emprisonnement et, pour finir, la décapitation.

G. H.-M. :

Malgré mon titre de grand officier des cérémonies, on m'appelait, dans mon dos, le coucou de Son Éminente Majesté. Pourquoi ce sobriquet ? Dans le bureau de l'Empereur, il y avait effectivement une horloge suisse avec un coucou qui sortait toutes les heures. J'avais l'honneur d'assumer le même rôle aux moments où Sa Majesté exerçait ses fonctions impériales. Quand arrivait le moment où, conformément au protocole, l'Empereur passait d'une activité à l'autre, je me dressais devant lui en me prosternant plusieurs fois. C'était, pour Sa Perspicace Majesté, le signal de la fin d'une heure et du début de l'heure suivante. Les railleurs, qui, dans tout Palais, sont légion, disaient, en guise de plaisanterie, que la courbette était mon unique métier voire mon unique raison de vivre. Je n'avais, en effet, d'autre fonction que celle de faire des révérences devant Son Éminente Majesté au moment convenu. C'est un fait. Mais j'aurais pu leur répondre – si le rang que j'occupais m'avait autorisé à une telle audace – que mes révérences avaient un caractère fonctionnel et rationnel, qu'elles servaient un intérêt général, étatique et donc supérieur, alors que la Cour regorgeait de dignitaires qui s'inclinaient avec zèle et sans aucune logique chronologique, à la moindre occasion, la souplesse de leur nuque n'étant guidée par aucune nécessité suprême mais par la flagornerie, la servilité et l'espoir d'une promotion ou d'une gratification. Mon travail consistait donc aussi à veiller à ce que mes révérences informatives et professionnelles ne se perdent dans la masse des révérences permanentes et collectives et à ne pas me faire refouler par les flatteurs arrogants, car Son Aimable Majesté risquait d'être désorientée et de prolonger indûment une activité aux dépens d'une autre tout aussi importante, si elle n'était informée à temps par le signal fixé. Hélas ! Mon professionnalisme était peu efficace quand il s'agissait de clore l'heure du Coffre et de commencer l'heure des Ministres. Cette dernière était consacrée aux affaires de l'Empire, mais comment peut-on parler d'affaires de l'Empire quand le coffre est grand ouvert et qu'autour, fourmille une foule de favoris et d'élus ! Personne ne veut partir les mains vides, sans

cadeau, sans enveloppe, sans butin. Il fut un temps
où Sa Majesté répondait à cette cupidité par des
remontrances bienveillantes, mais sans jamais se
mettre en colère, car elle savait que le coffre lui permettait de fidéliser ses sujets et de les rendre humbles
et serviles. Sa Majesté savait que celui qui est assouvi
défendrait sa part. Or où pouvait-on mieux rassasier
les sujets qu'au Palais ? Le monarque en personne
contribuait à rassasier copieusement ses courtisans
– sujet qui fait tellement scandale aujourd'hui parmi
les démolisseurs de l'Empire. Il faut que vous sachiez,
mon ami, que plus le temps passait, plus les choses
se dégradaient. Plus les fondements de l'Empire se
désagrégeaient, plus les élus s'agrippaient au coffre.
Plus les dévastateurs de l'Empire manifestaient d'insolence et relevaient la tête, plus les favoris mettaient de
zèle à remplir leur escarcelle. Plus la fin approchait,
plus la rapacité et l'irrépressible voracité s'intensi-
fiaient. Mon ami, au lieu de prendre la barre et de
régler les voiles – car il était clair que le navire était
en train de couler –, les grands magnats ne pensaient
plus qu'à bourrer leur sac et à dégoter une chaloupe
de sauvetage. Le Palais était pris d'une telle fièvre, le
coffre était l'objet de tels assauts que même un courtisan peu attiré par l'argent était entraîné, exhorté,
enflammé par les autres si bien qu'il finissait par
empocher comme tout le monde, ne serait-ce que
pour avoir la paix et pour préserver les convenances.
Mon cher ami, tout était sens dessus dessous. Se servir
dans la caisse était la norme, ne pas le faire était

déshonorant. Refuser de prendre sa part était considéré comme un signe de faiblesse, de balourdise, d'impuissance pitoyable et pathétique. Celui qui ne se gênait pas pour s'enrichir fanfaronnait comme s'il voulait afficher sa virilité et clamer avec fierté : « Agenouille-toi, peuple misérable ! » Tout était chamboulé. Comment m'en vouloir si, dans cette panique générale, j'avais toutes les peines du monde à fermer le coffre en temps et en heure pour permettre à Sa Bienveillante Majesté de commencer l'heure des Ministres ?

P. H.-T. :

L'heure des Ministres commençait à onze heures et se terminait à midi. La convocation des ministres ne posait aucun problème, car conformément à la coutume, les dignitaires se présentaient au Palais dès le lever du jour. De nombreux ambassadeurs se plaignaient d'ailleurs de ne pouvoir rencontrer tel ou tel ministre pour régler des affaires, car le secrétaire répondait à chaque fois : Monsieur le ministre a été convoqué chez l'Empereur. Il est vrai que Sa Clémente Majesté aimait avoir à l'œil et sous la main tous ses sujets. Un ministre qui se tenait à distance était mal vu et ne pouvait tenir longtemps. Il va de soi que ces messieurs – grâce à Dieu ! – ne se tenaient jamais à l'écart. Tout dignitaire ayant l'honneur de détenir un portefeuille connaissait les penchants du monarque et s'efforçait scrupuleusement de s'y adapter.

Celui qui voulait grimper les marches du Palais devait maîtriser, dès le départ, un savoir négatif. Autrement dit, il devait, avant tout, savoir ce qui était interdit, à lui et à ses sujets : ce qu'il ne fallait surtout pas dire, écrire, faire, oublier, négliger. Seul ce savoir négatif permettait de créer un savoir positif, vague et pas toujours évident, certes, car autant les favoris de l'Empereur se sentaient parfaitement à l'aise sur le terrain des interdits, autant ils s'aventuraient avec une prudence excessive, voire avec incertitude, dans la zone des demandes et des propositions. Là, ils tournaient le regard vers Son Éminente Majesté dans l'attente qu'elle se prononce. Sa Majesté avait en effet l'habitude de se taire, d'attendre, d'ajourner. Eux-aussi se taisaient, attendaient, ajournaient. Et la vie du Palais, derrière son apparence fourmillante, fringante et sémillante, regorgeait de silence, d'attente et d'ajournements. Chaque ministre choisissait la galerie où il avait le plus de chance de tomber sur Notre Vénérable Monarque et de lui faire une révérence. Si l'un d'eux apprenait, par la bande, qu'il était victime d'une dénonciation pour déloyauté, il manifestait un zèle particulier dans le choix de ses itinéraires. Passant des journées entières au Palais, il se démenait comme un beau diable pour gratifier Sa Bienveillante Majesté de courbettes obséquieuses afin de prouver l'illégitimité et la malignité de la dénonciation par sa proximité constante et son radieux empressement. Son Incomparable Majesté avait l'habitude de recevoir chaque ministre personnellement, car, en tête-à-tête, le dignitaire manifestait plus d'audace pour dénoncer ses collègues, ce qui permettait au monarque d'avoir une meilleure vue d'ensemble du fonctionnement de l'appareil d'État. Certes, le ministre reçu à une audience avait tendance à parler des désordres dans l'administration voisine plutôt que dans la sienne, mais c'est grâce à ces commentaires, grâce à ces entretiens avec tous ses ministres que Sa Majesté parvenait à faire une synthèse. Du reste, il importait peu qu'un ministre fût à la hauteur de sa tâche ou non, du moment qu'il manifestât une loyauté indéfectible. Son Aimable Majesté faisait preuve d'une bienveillance et d'un paternalisme sans faille à l'égard des ministres qui ne se distinguaient ni par leur vivacité ni par leur perspicacité, les considérant comme des éléments stabilisateurs de la vie impériale. Elle demeurait fidèle au principe universellement connu selon lequel le monarque est le seul et unique champion des réformes et du Développement. Mon cher ami, jetez un œil à l'autobiographie que l'Empereur dicta au crépuscule de son existence. Vous serez convaincu de l'efficacité déployée par Sa Vaillante Majesté pour lutter contre la barbarie et l'obscurantisme régnants dans le pays (*il s'en va dans la pièce voisine dont il rapporte un gros volume édité à Londres par Ullendorff et intitulé* My Life and Ethiopia's Progress – Ma vie et les progrès de l'Éthiopie –, *il le feuillette et poursuit*). Tenez ! Sa Majesté raconte qu'au début de sa carrière monarchique, elle interdit la section de mains et de jambes, châtiment qui, avant son avènement, était appliqué même pour des délits mineurs. Elle écrit ensuite avoir mis un terme à la coutume selon laquelle un homme accusé de crime (l'accusation pouvant être prononcée par n'importe qui à l'époque, puisque les tribunaux n'existaient pas) était mis à mort en public par éviscération, l'exécution étant réalisée par un membre de la famille. Ainsi, un fils pouvait mettre à mort son père, une mère son fils. Sa Majesté remplace cette coutume par une institution de bourreaux d'État, en fixant le lieu de l'exécution et en ordonnant l'utilisation de l'arme à feu. Ensuite : elle achète avec ses propres deniers (*il insiste sur ce point*) les deux premières imprimeries et met tout en œuvre afin que paraisse le premier journal de l'histoire du pays. Ensuite : elle ouvre la première banque. Ensuite : elle introduit dans le pays la lumière électrique, d'abord au Palais, puis dans d'autres bâtiments. Ensuite : elle abolit la coutume consistant à mettre aux fers et au carcan les prisonniers qui, désormais, sont surveillés par des geôliers payés par le Trésor impérial. Ensuite : elle publie un décret condamnant le trafic d'esclaves et fixe la liquidation de ce commerce aux environs de l'année 1950. Ensuite : elle abolit, par décret, la coutume appelée *lebasha* dont le but consistait à démasquer les voleurs : des guérisseurs faisaient manger des herbes magiques à des petits garçons qui, une fois drogués, se laissaient diriger par une force surnaturelle et entraient dans une maison pour désigner le voleur. Conformément à la tradition, celui qui avait été dénoncé avait les pieds et les mains coupés. Mon ami, imaginez-vous un peu la vie, dans un pays, où, du jour au lendemain, en toute innocence, vous risquez de vous faire couper les quatre extrémités. Vous marchez tranquillement dans la rue quand un gosse drogué vous attrape par le pied et la foule se met aussitôt à l'arracher. Ou alors, vous êtes tranquillement à la maison, à table, quand un gamin ivre fait irruption chez vous, vous êtes traîné dans la cour et amputé de vos deux pieds et de vos deux mains. Vous ne comprendrez la profondeur de la rupture initiée par Sa Majesté que si vous parvenez à vous imaginer cette vie. Sa Majesté met en place réforme sur réforme : elle abolit le travail obligatoire, importe les premières automobiles, crée la poste. Elle maintient, certes, le châtiment de la flagellation dans les lieux publics, mais condamne l'*afarsata* : quand un crime était commis, les forces de l'ordre entouraient le village ou le bourg incriminé et affamaient la population jusqu'à ce que le coupable soit désigné. Or les gens se surveillaient étroitement afin qu'il n'y ait pas de dénonciation, car chacun craignait d'être déclaré coupable. Crispés les uns sur les autres, les gens finissaient tous par crever de faim. Telle était la méthode de l'*afarsata*. Sa Majesté condamna ces pratiques. Mais, hélas, guidé par sa soif de développement, Sa Magnanime Majesté commit une imprudence. En effet, comme il n'y avait ni écoles publiques ni universités dans notre pays, l'Empereur décida d'envoyer des jeunes gens à l'étranger afin qu'ils s'y instruisent. Il fut un temps où Sa Majesté contrôlait en personne ce mouvement en choisissant des jeunes parmi des familles nobles et loyales, mais par la suite – *O tempora ! O mores !* –, il y eut une telle pression, une telle bousculade pour partir à l'étranger que Sa Bienveillante Majesté perdit peu à peu le contrôle de cette folle manie, de cette mode qui ensorcelait la jeunesse. Les blancs-becs à partir étudier en Europe ou en Amérique étaient, effectivement, de plus en plus nombreux. Bien évidemment, les soucis ne tardèrent pas à surgir. Tel un sorcier, Sa Majesté avait engendré une force maléfique et destructrice en autorisant la comparaison avec l'extérieur. Les jeunes morveux revenaient au pays, la tête bourrée d'idées subversives, de théories déloyales, de pensées nuisibles, de projets déraisonnables et perturbateurs. Sans avoir pris la peine de jeter un œil à l'Empire, ils s'arrachaient les cheveux en criant : « Mon Dieu, mon Dieu ! Comment un tel monde peut-il exister ! » Cher ami, vous avez là une preuve supplémentaire de l'ingratitude de la jeunesse. D'un côté, Sa Majesté se donnait un mal fou pour donner aux jeunes accès au savoir ; de l'autre, les jeunes remerciaient Sa Majesté par des critiques choquantes, des caprices abusifs, des remises en questions. On peut facilement s'imaginer l'amertume que ces calomniateurs firent éclore dans le cœur de Notre Monarque. Le pire, c'est que ces blancs-becs, farcis d'idées saugrenues et étrangères à nos coutumes, créèrent un climat de trouble, de nervosité superflue, de désordre, de subversion. On vit alors des ministres, qui pourtant ne brillaient ni par leur vivacité ni par

leur perspicacité, voler au secours de Sa Magnanime
Majesté. Leur aide était, certes, plus spontanée et
involontaire que consciente et délibérée, mais elle fut
essentielle au maintien de l'ordre dans l'Empire. En
effet, il suffisait qu'un favori de Son Éminente
Majesté promulgue, à la légère, un décret qui, par la
force de son autorité, entrait en application, pour que
ces jeunes écervelés hurlent au scandale. Anticipant
les conséquences du décret, ils se lançaient alors au
secours du pays, se mettaient à réparer, redresser, rac-
commoder, démêler. Au lieu de gaspiller leur énergie
pernicieuse à faire évoluer les choses selon leurs
propres idées, au lieu de mettre en pratique leurs mul-
tiples élucubrations perturbatrices, nos jeunes contestataires se sentaient obligés de relever leurs manches
et de se mettre à démêler ce qui avait été emmêlé. Or
il y a toujours du pain sur la planche quand il s'agit de
démêler ! Ils débroussaillaient sans relâche, en suant
comme des bœufs, les nerfs à vif, ils s'agitaient dans
tous les sens, rafistolaient à gauche et à droite, et dans
cette agitation, cette excitation, ce tourbillon, les
folles divagations s'évaporaient peu à peu de leurs
têtes échauffées. Mon cher ami, regardons maintenant
ce qui se passait à un niveau inférieur. En bas aussi,
les fonctionnaires subalternes mijotaient leurs petits
décrets tandis que les simples citoyens gesticulaient,
se démenaient, démêlaient sans répit. C'est là-dessus
que reposait le rôle stabilisateur des favoris de Son
Éminente Majesté. En incitant nos fantaisistes éclairés
et le peuple obscur à débrouiller ce qui avait été

embrouillé, nos dignitaires réduisirent à néant les velléités déloyales de nos hurluberlus, car où pouvaient-ils puiser leurs forces pour mettre en application leurs manigances puisqu'ils épuisaient toute leur énergie à démêler ? Oui, mon cher ami, l'Empire était maintenu dans un équilibre noble et béni par la main sage et bienveillante de Notre Suprême Majesté. L'heure des Ministres avait toutefois le don de rendre anxieux les humbles dignitaires, car aucun ministre ne connaissait la raison concrète de sa convocation. Si Sa Magnanime Majesté n'appréciait pas ses propos ou qu'elle y décelait la moindre idée fourbe ou tordue, il risquait d'être remplacé dès le lendemain à l'heure des Nominations. Du reste, Sa Majesté avait l'habitude d'intervertir constamment ses ministres pour la simple et bonne raison qu'elle voulait à tout prix éviter qu'ils ne chauffent leur place et aient tendance à s'entourer d'un réseau de parents et d'amis. Sa Généreuse Majesté tenait à conserver l'exclusivité des nominations et des promotions, c'est pourquoi elle regardait d'un mauvais œil les dignitaires qui se tenaient à l'écart et essayaient de nominer ou de promouvoir en douce. Ces initiatives privées étaient châtiées sur le champ, car elles mettaient en danger le subtil équilibre conçu par Sa Vénérable Majesté, qui risquait d'être exposé à des désagréments et des dysfonctionnements fâcheux. Sans compter qu'au lieu de s'adonner à des occupations plus essentielles, Sa Majesté aurait été contrainte de perdre son temps à des activités de compensation et de réparation.

B. K.-S. :

À midi, à titre de préposé au vestiaire impérial, je posais sur les épaules de Son Extraordinaire Majesté une toge noire qui touchait le plancher et dans laquelle le monarque inaugurait la Cour suprême du dernier appel. Dans notre langue, ce tribunal porte le nom de *chelot*. Sa Majesté aimait l'heure de Justice, et quand elle se trouvait dans la capitale, elle ne négligeait jamais ses devoirs de juge, même si cette activité devait se faire aux dépens de tâches tout aussi fondamentales. Conformément à la tradition de nos empereurs, Sa Miséricordieuse Majesté passait cette heure debout à écouter les doléances et à prononcer des sentences. À l'origine, la cour impériale était un campement nomade qui se déplaçait de lieu en lieu, de province en province, en fonction des rapports des services secrets impériaux dont la fonction consistait à déterminer les régions où les moissons étaient prometteuses et le bétail fécond. Notre antique Cour impériale se rendait alors dans cet endroit béni où elle dressait ses innombrables tentes. Puis, une fois le lieu fertile vidé de son grain et de sa viande, la Cour nomade pliait le camp et gagnait une autre province tout aussi prometteuse en se fiant aux indications des services spéciaux omniprésents. Notre actuelle capitale, Addis-Abeba, fut la dernière étape de la Cour itinérante de notre illustrissime empereur Ménélik qui ordonna d'y bâtir le premier des trois palais qui ornent la cité. À l'époque nomade, une des innombrables tentes de la cour, de couleur noire, servait de prison. On y gardait les sujets soupçonnés de crimes de lèse-majesté. L'Empereur, à l'abri d'une cage voilée – sa face radieuse ne pouvant être contemplée par le commun des mortels – présidait l'heure de Justice devant la tente noire. Sa Majesté, quant à elle, assumait sa fonction de juge suprême dans un bâtiment spécialement affecté à ce but et attenant au Palais central. Debout sur une estrade, Son Aimable Majesté écoutait l'affaire qui lui était soumise puis prononçait son verdict, conformément à la procédure fixée trois mille ans auparavant par le roi Salomon d'Israël dont Sa Généreuse Majesté était le descendant direct si l'on se fie à la loi constitutionnelle. Les verdicts prononcés sur-le-champ par le monarque étaient sans appel et définitifs. Si la peine de mort était requise, elle était appliquée séance tenante. Tel était le châtiment des conspirateurs qui, sans craindre Dieu ni l'anathème, avaient attenté au pouvoir impérial. Il arrivait toutefois que Sa Majesté manifestât sa magnanimité : un humble parmi les humbles pouvait se retrouver face au juge suprême – par négligence ou par calcul – et implorant justice, il dénonçait le notable qui l'opprimait. Sa Vénérable Majesté ordonnait alors que le notable fût châtié. Le lendemain, à l'heure du Coffre, Aba Hanna était sommé de dédommager généreusement la victime.

M. :

À treize heures, Sa Magnanime Majesté quittait le Vieux Palais pour aller déjeuner au Palais de l'Anniversaire, sa résidence. Elle était entourée des membres de la famille royale et de certains dignitaires invités pour l'occasion. Le Vieux Palais se vidait aussitôt, les galeries devenaient muettes, les sentinelles s'assoupissaient.

— Le début de la fin —

Les gens ont peur de la chute. Pourtant, même les champions de patinage artistique tombent. Cela arrive aussi dans la vie quotidienne. L'essentiel, c'est de savoir tomber sans se faire de mal. En quoi consiste cette technique ? Il s'agit, avant tout, d'une chute contrôlée, c'est-à-dire qu'une fois qu'on a perdu l'équilibre, on dirige son corps vers l'endroit où on risque de se faire le moins mal. En tombant, on relâche ses muscles et on se met en boule en se protégeant la tête. Si on observe ces consignes, la chute n'est pas dangereuse. En revanche, si on veut l'éviter à tout prix et qu'on tombe sans s'y préparer, au dernier moment, on est quasiment assuré de faire une chute douloureuse.

Z. Osiński, W. Starosta,
*Patinage artistique et patinage de vitesse*

Trop de lois, trop peu d'exemples.

Saint-Just, *Correspondance*

Il existe des hommes publics dont on ne sait rien sauf qu'il ne faut pas les offenser.

K. Kraus, *Aphorismes*

Les courtisans de tous les temps ont un
besoin d'état ; c'est celui de parler sans rien dire.

Stendhal, *Racine et Shakespeare*


Ils ont marché derrière la vanité, et ils sont
devenus vains.

Jérémie 2.5


Vous avez siégé ici trop longtemps pour le
peu de bien que vous avez fait. Je vous en
conjure : partez et qu'on en finisse avec vous !
Au nom de Dieu, partez !

Cromwell,
aux membres du Long Parlement

**F. U.-H. :**

C'est bien cela, nous étions en 1960. Une année terrible, mon ami. Un ver pernicieux rongeait le fruit sain et juteux de l'Empire, les choses évoluaient vers une issue si fatale et destructrice qu'au lieu de donner du jus, le fruit donna du sang. Mettons les drapeaux en berne, baissons la tête et battons notre coulpe. Aujourd'hui nous savons que nous avons vu le début de la fin et que ce qui arriva après était marqué par le sceau du destin. En ce temps-là, je servais Sa Vénérable Majesté comme fonctionnaire au ministère des Cérémonies, dans le département des Cortèges. Au cours des cinq brèves années de mon service scrupuleux et irréprochable, j'ai enduré tant de tourments que ma tête a complètement blanchi ! Pourquoi ? Parce que chaque fois que Sa Majesté partait en visite à l'étranger ou quittait Addis-Abeba pour honorer

une province de son auguste présence, le Palais devenait le théâtre de luttes acharnées et sauvages dont
l'unique enjeu était une place dans le cortège impérial. Le combat se déroulait toujours en deux temps :
lors du premier round, tous nos notables et gros bon-
nets entraient en lice pour assurer leur présence dans
le cortège, pour être inscrits sur la liste ; à l'issue de
ce tour éliminatoire, les vainqueurs bataillaient entre
eux pour décrocher les places d'honneur. Simples
employés, nous n'avions aucun problème pour organiser la tête du cortège, ses tout premiers rangs,
puisque la sélection relevait de l'exclusive décision
impériale, chacun des choix de Sa Bienveillante
Majesté nous étant transmis par un de ses adjudants
via le cabinet du maître de cérémonies. Ainsi, la tête
du cortège était constituée de membres de la famille
impériale et du Conseil de la couronne, de ministres
et de dignitaires que Son Extraordinaire Majesté préférait garder à l'œil si elle les sentait susceptibles de
comploter dans son dos en son absence. Nous
n'avions pas non plus de difficultés pour établir la
liste des serviteurs qui occupaient la queue du cortège : gardiens, cuisiniers, préposés aux coussins, au
vestiaire, aux bourses, aux cadeaux, aux chiens, au
trône, laquais et servantes. Mais entre la tête et la
queue flottait un no man's land, et c'est justement
cet espace libre qui déchaînait d'âpres combats entre
favoris et courtisans. Nous, les employés du cortège,
étions un peu comme des grains prêts à se faire écraser
entre les meules d'un moulin. En effet, nous étions

chargés d'inscrire sur la liste les noms que l'on nous proposait et de la faire suivre par la voie hiérarchique. Une foule de favoris nous harcelait donc jour et nuit, nous assaillait de supplications, de chantages, de lamentations, de menaces de vengeance, les uns nous imploraient, les autres nous glissaient des pots-de-vin, certains nous promettaient des montagnes d'or, d'autres insinuaient qu'ils allaient nous dénoncer. Les protecteurs des favoris nous relançaient, chacun recommandant son poulain tout en se dressant sur ses ergots et en proférant de méchantes menaces. Comment leur en vouloir, puisque eux-mêmes agissaient sous pression, eux-mêmes étaient cruellement talonnés et se talonnaient entre eux ? Quelle infamie si un protecteur réussissait à placer son favori et qu'un autre n'y était pas parvenu ! Ainsi, les meules de pierre tournaient, tandis que les officiers du Cortège que nous étions se faisaient des cheveux blancs et un sang d'encre. Nous risquions de nous faire réduire en chair à pâté par n'importe quel protecteur un tant soit peu puissant. Pourtant, nous n'y étions pour rien. Nous ne pouvions tout de même pas fourrer tout l'Empire dans le cortège ! Bref, une fois que nous avions fait de notre mieux pour caser le plus de monde possible dans la suite royale et que la liste était plus ou moins bouclée, peaufinée, fignolée, c'était de nouveau reparti : travail de sape, actions de minage, jeu de coudes, rivalités, querelles, bouderies. Car tout le monde visait une place plus élevée que celle qui lui était octroyée ; celui qui avait le n° 43 reluquait le 26, celui qui était affecté au 78 aspirait au 32, celui à qui on avait donné le 57 guignait le 29, celui qui était sur le 67 faisait des pieds et des mains pour décrocher le 34, celui qui avait le 41 ambitionnait le 30, celui qui se retrouvait au 26 ne rêvait que du 22, le 54 montrait les dents pour gagner le 46, le 39 essayait de prendre en douce le 26 et le 63 faisait tout son possible pour se hisser au 49. Et que je grimpe plus haut, toujours plus haut ! Les galeries du Palais étaient en ébullition, les courtisans aveuglés les parcouraient dans tous les sens, les consultations au sein des coteries allaient bon train, car la liste du cortège était sur le point d'être scellée et la Cour entière ne pensait plus qu'à elle, jusqu'au moment où, dans les salons et les bureaux, tombait la nouvelle que le palmarès avait été soumis à Sa Magnanime Majesté, qu'elle y avait apporté quelques modifications irrévocables puis qu'elle avait donné sa bénédiction. Désormais, on ne pouvait plus rien changer et chacun acceptait la place qui lui incombait. On reconnaissait aisément celui qui faisait partie du cortège à sa démarche et à sa manière de parler. Immédiatement se créait une hiérarchie interne, spécifique à la suite, éphémère certes mais réelle, une hiérarchie qui coexistait avec la hiérarchie des accès et celle des titres, car notre Palais ressemblait à une immense gerbe, un énorme faisceau lumineux. Pour peu qu'un courtisan se brûlât les ailes à un rayon, il avait toujours la possibilité de revenir et de reprendre son ascension. Ainsi, chacun avait toujours lieu d'être satisfait et se rengorgeait comme un paon. Celui qui était inscrit sur la liste suscitait des commentaires d'admiration et d'envie : « Regardez, il fait partie du cortège ! » Si un dignitaire était nominé à plusieurs reprises, il devenait un vétéran de la nomination et était entouré du respect général. Les manigances prenaient une ampleur particulièrement démesurée dès que sa Majesté partait en délégation à l'étranger, car on pouvait en rapporter des présents somptueux et des décorations honorifiques. C'est justement vers la fin de l'année 1960 que l'Empereur décida de partir au Brésil. À la cour circulaient des rumeurs sur la quantité de festins, d'achats, d'opportunités en perspective, au point que s'engagea une série de tournois pour l'obtention d'une place dans le cortège. Les joutes étaient si âpres et impitoyables que personne ne prêta attention au terrible complot fomenté au sein même du Palais. En fait, je me demande, mon ami, si vraiment personne n'y prêta attention. Par la suite, il apparut que Makonen Habte-Wald avait reniflé une mauvaise odeur. Il l'avait sentie, détectée et en avait référé en haut lieu. Feu le ministre Makonen était un drôle de personnage. Favori et véritable chouchou de Sa Majesté, jouissant de son oreille impériale à volonté, il ne pensait jamais à se remplir les poches. Sa Majesté avait beau ne pas apprécier les saints dans son entourage, elle lui pardonnait cette faiblesse, car elle savait que cet excentrique n'avait pas la tête à s'enrichir, tout absorbé qu'il était par une idée fixe : celle de servir au mieux l'Empereur. Mon cher ami ! Makonen était un ascète du pouvoir, le grand dévoué du Palais. Il portait de vieux vêtements, roulait dans une vieille Volkswagen, vivait dans une vieille maison. Son Aimable Majesté affectionnait la famille de Makonen, d'origine sociale fort modeste. Elle avait élevé l'un de ses frères, Aklilu, à la dignité de Premier ministre et un autre frère, Akalu à la dignité de ministre. Makonen était, quant à lui, ministre de l'Industrie et du Commerce, mais il s'occupait rarement de son département, et à contrecœur. Il consacrait tout son temps à l'extension de son réseau privé de délateurs et dépensait, à cet effet, tout l'argent qu'il possédait. Makonen avait créé un État dans l'État, il avait des hommes à lui dans chaque institution : l'administration, l'armée, la police. Il passait ses jours et ses nuits à collecter et à trier les délations, il dormait peu. Avec sa mine défaite, il ressemblait à une ombre. Ses activités le consumaient, mais il se consumait en silence, comme une taupe, sans scandale ni fanfaronnade, gris, aigri, caché entre chien et loup, n'étant lui-même ni chien ni loup. Il s'escrimait à pénétrer en profondeur les galeries des autres réseaux, des réseaux concurrentiels, son flair le guidant infailliblement vers le poignard et la trahison comme cela se confirma par la suite. Il est vrai que quand on fourre son nez partout, on finit par tomber sur de mauvaises odeurs. Sa Majesté le disait bien.

Il me raconte ensuite que dans le coffre de Makonen, son coffre personnel de collectionneur fanatique de rapports, un dossier avec le nom de Germame Neway se mit soudain à enfler. La vie des dossiers est étrange, commente-t-il. Certains végètent pendant des années sur une étagère, minces, pâles comme des feuilles séchées, fermés, couverts de poussière, attendant dans l'oubli le jour où, toujours vierges, ils finissent par être déchirés et jetés au feu. Ce sont les dossiers des sujets loyaux, ayant mené une vie exemplaire et dévouée à l'Empereur. Si on consulte la rubrique « Activités », aucun point négatif. Si on ouvre la rubrique « Déclarations », pas un seul feuillet. Disons qu'il peut y avoir une fiche, mais sur ordre de Sa Vénérable Majesté, le ministre de la Plume y a inscrit : « fatina bere », autrement dit « gribouillis », « dérapage ». Sa Majesté a donc considéré comme nulle et non avenue la note du jeune Makonen qui manque encore d'expérience dans le fichage des délateurs. La fiche existe, mais elle est invalidée, tel un chèque annulé. Il arrive aussi que le dossier, jaune et maigre pendant des années, s'anime à un moment donné, ressuscite, se mette à prendre du poids, grossisse, enfle. Il commence à puer. C'est l'odeur de la déloyauté, pour laquelle Makonen a un nez très sensible. Il se met à pister, à suivre, à redoubler de vigilance. Souvent la vie d'un dossier qui se met à gonfler et à prendre du poids se termine aussi violemment que celle de son héros principal. Tous deux disparaissent d'un coup, le dernier de la surface de la terre, le premier du coffre de Makonen. D'une manière *curieuse, l'embonpoint d'un dossier est inversement proportionnel à celui de son titulaire. L'homme qui entre en lutte contre le Palais s'épuise, maigrit et dépérit tandis que son dossier grossit, enfle, déborde de tous les côtés. En revanche, celui qui est solidement implanté aux côtés de Sa Majesté et gagne de plus en plus ses faveurs a un dossier plus fin que du papier bible. Or, Makonen remarqua que le dossier de Germame Neway s'était soudain mis à gonfler. Originaire d'une famille noble et loyale, Germame avait reçu, après l'école, une bourse de Sa Bienveillante Majesté pour aller étudier aux États-Unis. Il y termina son parcours universitaire et revint au pays à l'âge de 30 ans. Il lui restait six ans à vivre.*

A. W. :

Germame ! monsieur Richard, Germame faisait partie de ces gens déloyaux qui, de retour au pays, s'arrachaient les cheveux d'indignation. Mais ils le faisaient en douce. Au Palais, ils se montraient loyaux et disaient ce que l'on attendait d'eux. Sa Vénérable Majesté – Oh, comme je le lui reproche aujourd'hui ! – se laissait berner. Quand Germame revint de l'étranger, Sa Miséricordieuse Majesté le regarda d'un œil bienveillant et le nomma gouverneur de la province méridionale de Sidamo dont la terre fertile produit un café renommé. À l'annonce de cette nomination, tous les courtisans du Palais se dirent que Notre

Souverain tout-puissant avait ouvert au jeune homme
la voie des honneurs suprêmes. Germame partit avec
la bénédiction impériale. Au début, tout se passa dans
le calme. Il ne lui restait qu'à faire preuve de patience,
vertu hautement estimée au Palais, pour que Sa
Bienveillante Majesté le convoquât de nouveau et
l'élevât à une dignité supérieure. Mais que croyez-
vous ? Quelque temps après sa prise de fonctions, des
notables commencèrent à affluer à la capitale. Ils tournaient prudemment autour du Palais et se rensei-
gnaient auprès de cousins, d'amis, de connaissances
pour savoir s'il était possible de faire une délation sur
le gouverneur. C'est toujours délicat, monsieur
Richard, de dénoncer son supérieur hiérarchique ! On
ne peut pas foncer comme ça au hasard, car on ne
sait jamais si le gouverneur n'a pas un protecteur
influent au Palais, qui entrera en furie, traitera les
notables de voyous et les fera sanctionner. Donc, au
début, à mots couverts, en murmurant, puis de plus
en plus audacieusement, mais toujours de manière
informelle, entre soi, pour meubler la conversation,
ils se mirent à rapporter que Germame acceptait des
pots-de-vin et qu'avec ces pots-de-vin il faisait
construire des écoles. Imaginez un peu le désarroi des
notables ! Il va de soi qu'un gouverneur est là pour
accepter des cadeaux, comme tous les notables
d'ailleurs. Le pouvoir rapporte de l'argent, il en est
ainsi depuis la nuit des temps. Mais là, on avait affaire
à une anomalie : le gouverneur redonnait les cadeaux
reçus pour faire construire des écoles. Tout acte au

sommet étant perçu, par les subordonnés, comme un exemple à suivre, cela voulait dire que tous les notables devaient redonner leurs cadeaux pour faire construire des écoles ! Laissons-nous aller un instant à des pensées indignes et supposons que, dans une autre province, un autre Germame se mette à distribuer ses pots-de-vin. Aussitôt, les notables se révolteraient contre cette pratique, et on aboutirait à la fin de l'Empire. Belle perspective ! Au début quelques sous, et pour finir, la chute de la monarchie ! Non, décidément non ! Tout le monde au Palais était opposé à ces agissements. Non, c'est non ! Mais figurez-vous, monsieur Richard, que Sa Vénérable Majesté, curieusement, ne semblait au courant de rien. Elle écoutait, mais ne se prononçait pas. Elle se taisait, cela voulait donc dire qu'elle lui donnait encore une chance. Mais Germame n'était plus capable de retrouver le chemin de l'obéissance. Au bout d'un certain temps, des notables de la province de Sidamo revinrent à la Cour. Avec des rapports faisant état des excès de Germame : ce dernier s'était mis à distribuer des friches aux paysans sans terre, il avait porté atteinte au principe même de la propriété. Germame était donc communiste. Oh ! mon bon monsieur, il s'agissait d'une affaire gravissime. Aujourd'hui une friche, demain la terre des propriétaires. On commence par un lopin et on finit par le patrimoine impérial ! Cette fois-ci, Sa Généreuse Majesté ne pouvait plus se taire. Germame fut convoqué à la capitale à l'heure des Nominations. Sa Majesté le nomma gouverneur de la province de Jijiga où il ne pourrait plus distribuer de terres aux paysans puisque ces terres étaient habitées par des nomades. Lors de la cérémonie, Germame commit une infraction gravissime qui aurait dû éveiller la plus grande vigilance de Sa Respectable Majesté : après avoir entendu sa nomination, il ne baisa pas la main du monarque. Hélas !

*C'est à ce moment-là, raconte-t-il après, que Germame commence à ourdir son complot. Il hait cet homme, mais l'admire. Il y a en lui quelque chose d'attirant. Une fois enflammée, le don de convaincre, un courage, une détermination, une vivacité immenses. Ces qualités le distinguent du fond gris, servile et craintif de la masse de flatteurs et de flagorneurs qui emplissent le Palais. La première personne que Germame parvient à gagner à sa cause est son frère aîné, le général Mengistu Neway, commandant de la garde impériale, officier au tempérament intrépide et à la beauté virile extraordinaire. Par la suite, les deux frères rallient à leurs idées le chef de la police de l'Empire, le général Tsigue Dibou, puis le chef de la sécurité du Palais, le colonel Workneh Gebayeh ainsi que d'autres personnes de l'entourage proche de l'Empereur. Agissant dans le plus grand secret, les conspirateurs créent un conseil révolutionnaire qui, au moment du coup de force, compte vingt-quatre membres. Dans leur majorité, il s'agit d'officiers de la garde impériale et des services secrets du Palais. Âgé de 44 ans, Mengistu est l'aîné du groupe, mais le*

*chef du complot reste jusqu'à la fin son cadet Ger-
mâme. Makonen, raconte aussi mon interlocuteur, se
met à développer des soupçons et fait un rapport à
l'Empereur. Hailé Sélassié convoque alors le colonel
Workneh et lui demande si c'est vrai. Workneh nie
catégoriquement les faits. Workneh fait partie des
intimes de l'Empereur. Hailé Sélassié l'a fait passer
directement des bas-fonds aux salons du Palais et il lui
voue une confiance illimitée, c'est peut-être le seul
homme en qui il croit vraiment, sans doute aussi pour
des raisons de confort psychologique ; la suspicion à
l'égard de tous les sujets est épuisante, il faut bien faire
confiance à l'un d'entre eux, car il faut pouvoir se
détendre de temps à autre. L'Empereur ne prête pas foi
non plus aux rapports de Makonen parce qu'à cette
période, il soupçonne non pas les frères Neway de
comploter contre lui mais le dignitaire Endelkachew en
qui il a détecté des idées libérales, un affaiblissement
de zèle, de la morosité et une sorte de démoralisation.
Convaincu du bien-fondé de ses soupçons, il ajoute le
nom d'Endelkachew à la liste de la suite impériale afin
de le garder à l'œil pendant le voyage au Brésil. Mon
interlocuteur rappelle que le récit détaillé de ce qui
arriva après est consigné dans les minutes du procès
du général Mengistu. Après le départ de l'Empereur,
Mengistu distribue des pistolets aux officiers de la
garde et leur ordonne d'attendre ses ordres. On est le
mardi 13 décembre. Ce jour-là, dans la soirée, la
famille de Hailé Sélassié et un groupe de hauts dignitaires se réunissent pour souper dans la résidence de*

*l'impératrice Menen. Une fois qu'ils sont installés à table, un messager de Mengistu vient les informer que l'Empereur a eu un malaise pendant son séjour au Brésil, qu'il est mourant et que toute la compagnie est priée de se réunir au Palais pour faire un bilan de la situation. Lorsqu'ils arrivent sur place, ils sont tous mis aux arrêts. Pendant ce temps, les officiers de la garde arrêtent d'autres dignitaires dans leurs résidences. Mais, comme c'est toujours le cas en période de tension, de nombreux notables sont oubliés. Certains ont le temps de fuir la ville ou de se cacher chez des amis. Par ailleurs, les conspirateurs tardent à couper les télé- phones et les hommes de l'Empereur ont le temps de s'entendre et de s'organiser. Mais surtout, la nuit même, ils contactent l'Empereur par l'intermédiaire de l'ambassade britannique. Hailé Sélassié interrompt son voyage et fait demi-tour, mais il prend son temps, il attend que la révolution s'essouffle. Le lendemain, à midi, le fils aîné de l'Empereur et l'héritier du trône, Asfa Wossen, lit à la radio une proclamation au nom des rebelles. Asfa Wossen est un homme faible, docile, sans idées. Le père et le fils ne s'entendent pas, et d'après certaines rumeurs, l'Empereur doute de sa paternité (quelque chose ne collerait pas entre les dates où l'Empereur s'est absenté de l'Empire et celles où l'impé- ratrice a mis au monde son premier héritier). Plus tard, le fils, âgé de 40 ans, sera tenu de se justi- fier devant son impitoyable père : les rebelles lui auraient ordonné de lire cette proclamation en tenant un pistolet sur ses tempes. Ainsi, il aurait lu le communiqué suivant,* rédigé par Germame : « Depuis quelques années, l'Éthiopie est en proie à la stagnation. Une atmosphère de mécontentement et de désillusion ne cesse de se développer parmi les paysans, les commerçants, les fonctionnaires, l'armée, la police, la jeunesse étudiante, au sein de la société tout entière… Aucun progrès n'est constaté dans aucun secteur. En fait, une poignée de dignitaires s'est enfermée dans l'égoïsme et le népotisme au lieu de travailler pour le bien général. Le peuple d'Éthiopie n'a de cesse de voir le jour où la misère et le sous-développement seront liquidés, mais parmi les innombrables promesses qu'on lui a faites, aucune n'a jamais été tenue. Jamais aucun peuple n'a fait preuve de tant de patience… » Asfa Wossen déclare qu'il a formé un gouvernement populaire dont il est le chef. Mais rares sont les gens, à l'époque, à posséder une radio, et la proclamation demeure sans écho. La ville est calme. Les affaires prospèrent, dans les rues règnent l'animation et la pagaille habituelles. Les habitants d'Addis-Abeba n'ont, pour la plupart, rien entendu. Ceux qui sont au courant de la situation ne savent qu'en penser. Pour eux, il s'agit d'une affaire de Palais, or le Palais est pour eux inaccessible, impénétrable, incompréhensible et surnaturel. Le jour même, Hailé Sélassié atterrit à Monrovia et établit un contact radio avec son gendre, le général Abiye Abebe, gouverneur de l'Érythrée. Entre-temps, ce dernier a mené des pourparlers avec un groupe de généraux qui, basés autour de la capitale, s'apprêtent à lancer un assaut contre les conspirateurs. Ce groupe est dirigé par les généraux

*Merdi Mengesha, Assefa Ayena et Kebede Gebre, tous parents de l'Empereur. Mon interlocuteur m'explique que l'attentat est piloté par la garde et qu'entre la garde et l'armée a toujours existé un antagonisme aigu. La garde est instruite et bien payée alors que l'armée est inculte et pauvre. Les généraux décident donc de mettre à profit cet antagonisme pour lancer l'armée contre la garde. Ils disent aux soldats : « La garde veut le pouvoir afin de vous exploiter. » Leur message est cynique, mais efficace et convaincant. Les soldats hurlent : « Nous voulons mourir pour l'Empereur ! » Les bataillons qui se lancent bientôt à l'assaut sont enthousiastes. On est jeudi, le troisième jour du coup de force. Les régiments menés par les généraux loyaux entrent dans les faubourgs de la capitale. Les rebelles tergiversent. Mengistu ne donne pas d'ordres pour organiser la défense, il ne veut pas d'effusion de sang. La ville est encore calme, la circulation est normale dans les rues. Un avion tourne dans le ciel et envoie des tracts évoquant l'anathème lancé sur les conspirateurs par le patriarche Basilios, le chef de l'Église et ami de l'Empereur. Ce dernier vient de quitter Monrovia (Libéria) pour Fort Lamy (Tchad). Il apprend par son gendre qu'il peut atterrir à Asmara. Asmara est paisible, tous ses sujets l'attendent dans la soumission. Mais un moteur de son DC-6 tombe en panne. Il décide de poursuivre son vol avec trois moteurs. Dans l'après-midi, Mengistu arrive à l'université où il rencontre les étudiants. Il leur montre un morceau de pain sec. « Voilà ce que nous avons donné à manger*

*aujourd'hui aux dignitaires afin qu'ils sachent de quoi
se nourrit notre peuple. Vous devez nous aider »,
poursuit-il. Dans la ville, une fusillade éclate. La
bataille pour Addis-Abeba est engagée. Dans les rues, des
centaines de victimes tombent. Vendredi 16 décembre,
dernier jour du coup de force. La garde et l'armée
s'affrontent depuis le matin. L'après-midi, l'assaut du
Palais où s'est réfugié le conseil révolutionnaire est
lancé. Un bataillon de blindés dirigé par le gendre de
l'Empereur, le capitaine Dereji Hailé-Mariam passe à
l'attaque. « Chiens, rendez-vous ! » hurle le capitaine
depuis la tourelle de son char. Il tombe, fauché par
une mitrailleuse. Des obus explosent à l'intérieur du
Palais. Vacarme, fumée et flammes envahissent les
galeries et les salles. La défense du Palais devient
impossible. Les conspirateurs se réfugient dans le Salon
Vert où depuis mardi sont enfermés des dignitaires. Ils
ouvrent le feu. Dix-huit proches de l'Empereur
tombent sous les balles. Les chefs du complot et les
régiments clairsemés quittent le territoire du Palais et
gagnent les bois d'eucalyptus sur les collines d'Entoto.
Le soir tombe. L'avion de l'Empereur atterrit à Asmara.*

A. W. :

Oh, monsieur Richard, en ce jour du Jugement,
notre peuple humble et loyal donna la preuve réconfortante de sa totale dévotion à Sa Vénérable Majesté.
Lorsque les traîtres écrasés se mirent à abandonner

le Palais et à fuir vers les bois environnants, la populace se lança à leur poursuite à l'instigation de notre
patriarche. Notez, mon ami, qu'elle n'avait pas le
moindre blindé ni le moindre canon ; chacun prenait
ce qu'il avait sous la main et se lançait à leur poursuite. Gourdins, pierres, piques, poignards, tout était
bon. Les gens de la rue que Sa Bienveillante Majesté
avait généreusement gratifiés de ses aumônes se
mirent à fracasser, avec ferveur et haine, la tête de ces
calomniateurs et rebelles qui voulaient leur voler leur
Dieu et leur ménager le diable sait quelle vie. Si Sa
Majesté avait dû disparaître, qui leur aurait prodigué
l'aumône et des paroles réconfortantes ? En suivant la
trace sanglante des fugitifs, les gens de la ville entraî-
nèrent dans leur sillage les villageois. Maudissant les
diffamateurs, les paysans, pourvus d'armes de fortune
– bâtons, massues, couteaux – se lancèrent dans le
combat pour venger l'affront subi par Sa Généreuse
Majesté. Encerclées, les troupes de la garde se défen-
dirent dans les bois jusqu'à épuisement des munitions. Puis certains se rendirent, d'autres périrent des
mains de la foule ou des soldats. Trois ou peut-être
cinq mille hommes furent emprisonnés, autant tré-
passèrent, à la grande joie des hyènes et des chacals
qui accouraient de contrées lointaines pour se repaître
de charogne. Longtemps après, pendant des nuits
entières, les bois retentirent de hurlements et de ricanements. Quant à ceux qui avaient fait injure à la
dignité de Son Exceptionnelle Majesté, ils allèrent
tout droit en enfer, mon ami. Le général Dibou, par

exemple, tomba au moment de l'assaut du Palais, et
son corps fut pendu par le peuple devant la porte de
la caserne de la 1re division. Plus tard, on apprit que
le colonel Workneh avait réussi à quitter le Palais et
à gagner les faubourgs de la ville, mais il fut encerclé
et faillit être pris vivant. Mais lui, monsieur Richard,
refusa de se rendre. Il tira jusqu'au bout, tuant encore
quelques soldats, et lorsqu'il ne lui resta plus qu'une
cartouche, il enfonça le canon de son pistolet dans sa
bouche, appuya sur la gâchette et tomba raide mort.
Son corps fut accroché à un arbre devant la cathédrale
Saint-Georges. C'est étonnant, mais Sa Majesté n'a
jamais cru à la trahison de Workneh. On chuchotait
que, bien des mois après, elle appelait ses domestiques
dans sa chambre à coucher et demandait qu'on
convoquât le colonel. Sa Majesté arriva en avion
d'Asmara à Addis-Abeba le samedi soir alors que la
ville résonnait encore de coups de feu et que les infi-
dèles étaient exécutés sur les places. Le visage du
monarque exprimait l'inquiétude, la lassitude et la
tristesse à cause du préjudice qui venait de lui être
infligé. Il avançait dans sa limousine au milieu d'une
colonne de tanks et de blindés. La ville entière sortit
en foule pour lui rendre un hommage de soumission
et de pardon. Toute la capitale était agenouillée,
se frappant le front sur le pavé. Moi aussi, à genoux
dans la foule, j'entendais des gémissements, des cris
de terreur, des soupirs et des acclamations. Personne
n'osait regarder en face le visage de Notre Vénérable
Monarque. Aux portes du Palais, le prince Kassa, qui

s'était battu pour l'Empereur, n'avait donc pas fauté
et avait les mains propres, baisa les chaussures de
l'Empereur. La nuit même, Notre Tout-Puissant Souverain donna l'ordre d'exécuter ses lions préférés qui,
au lieu de défendre le Palais, avaient laissé y pénétrer
les traîtres. Vous me demandez ce qui est advenu de
Germame ? Ce maudit esprit quitta la ville en compagnie de son frère et d'un certain Baye, capitaine de
la garde impériale. Ils restèrent cachés pendant une
semaine encore. Ils ne pouvaient se déplacer que de
nuit, car leur tête avait été mise à prix. Tout le pays
les cherchait, car la rançon était coquette : cinq mille
dollars. Ils essayaient de gagner le sud, sans doute vou-
laient-ils passer au Kenya. Mais au bout d'une semaine,
alors qu'ils étaient cachés dans le maquis depuis plusieurs jours, sans nourriture, défaillant de soif, car ils
ne se risquaient pas à aller chercher à boire et à
manger dans les villages, ils furent encerclés par des
paysans à leurs trousses, qui voulaient les capturer.
Alors, comme l'a avoué par la suite Mengistu, Germame
décida de tout stopper net. Toujours d'après Mengistu,
Germame avait conscience d'être en avance sur
l'Histoire, d'avoir été plus vite que les autres. Or,
quand on est en avance sur son temps les armes à la
main, on doit mourir. Il aurait sûrement préféré que
ses camarades se donnent la mort eux-mêmes. Quand
les paysans furent sur le point de les rattraper et de
les faire prisonniers, Germame tira d'abord sur Baye,
puis sur son frère, et enfin il retourna son arme contre
lui-même. Les paysans pensaient qu'ils ne recevraient

pas la prime puisqu'il était convenu de livrer les hommes vivants, alors que là, mon ami, ils se trouvaient devant trois cadavres. En fait, seuls Germame et Baye étaient morts. Mengistu gisait à terre, le visage inondé de sang, mais il respirait encore. Ils les transportèrent en toute hâte à la capitale et livrèrent Mengistu à l'hôpital. Un rapport détaillé fut lu à Sa Majesté qui, après l'avoir écouté, déclara qu'elle souhaitait voir le corps de Germame. Conformément à son désir, la dépouille fut apportée au Palais et jetée sur les marches de l'escalier d'honneur. Sa Bienveillante Majesté sortit, resta longuement à contempler le corps qui gisait au sol. Elle était muette, le regard fixé sur le cadavre, les gens qui se tenaient à ses côtés n'entendirent aucun commentaire. Puis Sa Majesté tressaillit et se retira dans les profondeurs du Palais en priant les laquais de refermer les portes. Par la suite, j'ai vu le corps de Germame pendu à un arbre devant la cathédrale Saint-Georges. Une foule de gens était plantée devant lui, raillant le traître, le conspuant et l'agonisant d'injures obscènes. Mais il restait encore Mengistu. Celui-ci fut transféré de l'hôpital pour passer devant une cour martiale. Pendant le procès, il se comporta avec fierté, et contrairement aux coutumes du Palais, il ne manifesta aucun remords ni velléité de pardon. Il déclara à Sa Majesté qu'il ne craignait pas la mort, car à partir du moment où il avait décidé de faire front à l'injustice et d'organiser un complot, il savait qu'il périrait. Il ajouta qu'ils avaient voulu faire la révolution, qu'il ne la verrait pas

de son vivant mais que de son sang versé pousserait
l'arbre vert de la justice. Il fut pendu le 30 mars à
l'aube sur la grande place du marché. En même temps
que lui, six officiers de la garde impériale furent également pendus. Il ne ressemblait plus du tout à l'homme
qu'il avait été. Le coup de feu tiré par son frère lui
avait arraché un œil et déchiqueté son visage couvert
d'une barbe noire broussailleuse. L'autre œil, sous
l'effet du nœud de la corde, avait jailli de son orbite.

*Ils racontent que, pendant les jours suivant le retour
de l'Empereur, le Palais fut saisi d'une agitation inha-
bituelle. Des hommes de peine ponçaient les planchers
imbibés de taches de sang, des laquais décrochaient les
tentures lacérées et brûlées, des camions emportaient
des monceaux de meubles fracassés et des caisses de
douilles vides, des vitriers remplaçaient des glaces et des
carreaux, des maçons replâtraient les murs criblés de
trous de balles. L'odeur de brûlé et de poudre disparaissait peu à peu. Pendant longtemps, on vit se succéder
les funérailles de ceux qui étaient tombés en restant
fidèles à Sa Majesté. En même temps, les corps des
insurgés étaient inhumés de nuit, dans des lieux secrets.
La plupart des morts étaient des victimes accidentelles ;
pendant les combats de rue, des centaines d'enfants
badauds, de femmes allant au marché, d'hommes se
rendant au travail ou prenant tranquillement le soleil
avaient été massacrés. Les tirs s'étaient calmés, l'armée*

patrouillait dans les rues de la ville enfin rendue au calme et qui commençait à ressentir l'horreur et le choc bien après les faits. Ils racontent aussi qu'après, il y eut des semaines de panique : arrestations violentes, investigations brutales, interrogatoires barbares. L'angoisse et la peur régnaient dans la ville. Les gens murmuraient, échangeaient des ragots, racontaient le coup de force en y ajoutant des détails en fonction de leur imagination et de leur audace. Ils faisaient d'ailleurs leurs commentaires en douce, car officiellement il était interdit d'évoquer les événements récents. Voulant se laver de tout soupçon de conspiration, la police — avec laquelle il ne faut jamais plaisanter même si elle y encourage, ce qui n'était pas vraiment le cas — était devenue plus redoutable et efficace que d'habitude. Il ne manquait d'ailleurs pas de bonnes volontés pour lui fournir des victimes terrifiées. Tout le monde attendait la réaction de l'Empereur et une nouvelle déclaration, après celle qu'il avait faite lors de son retour dans la capitale paralysée par la peur et marquée par la trahison. Le souverain avait alors exprimé sa douleur et sa compassion à l'égard des brebis égarées qui s'étaient détachées à la légère du troupeau pour se perdre dans un désert de pierre et de sang.


G. O.-E. :

Regarder l'Empereur droit dans les yeux avait, de tout temps, été considéré comme une insolence et

une attitude contraire aux usages, mais après ce qui
venait d'arriver, même le plus audacieux du Palais ne
se serait risqué à un tel affront. Nous étions tous
honteux du complot et redoutions la juste colère de
Sa Majesté. Tous, nous succombâmes à ce complexe
de honte et de crainte, car au début, nous étions
désemparés, nous nous demandions qui Sa Vénérable
Majesté allait garder et qui elle allait rejeter, qui serait
considéré comme loyal et qui serait stigmatisé comme
traître, qui mériterait son oreille et qui serait évincé
des audiences privées. Aussi, nous méfiant les uns des
autres, nous préférions ne plus regarder personne en
face. Nos yeux ne voyaient plus, ne regardaient plus,
fixaient les parquets, se noyaient dans les plafonds,
scrutaient le bout des chaussures, s'envolaient par les
fenêtres. Dès que mon regard se posait sur mon
voisin, ce dernier se sentait aussitôt pris en faute et se
demandait : « Pourquoi me regarde-t-il si fixement ?
De quoi me soupçonne-t-il ? De quoi me rend-il coupable ? » Et pour devancer mon prétendu zèle, celui
que j'avais regardé en toute innocence, par pure curiosité ou par distraction, se sentait pris en flagrant délit
et répondait à ce qu'il croyait être du zèle par un excès
de zèle en allant au plus vite se blanchir. Or comment
se blanchir sans salir celui dont on croit qu'il nous a
salis ? Ainsi, tout regard était synonyme de provoca-
tion et de chantage, tout le monde avait peur de lever
les yeux, tout le monde craignait de croiser dans l'air,
dans un coin, derrière une tenture, dans un interstice,
un regard plus brillant qu'une lame de poignard. Le

Palais tout entier était écrasé par des questions plus menaçantes qu'un ciel orageux et auxquelles il n'y avait point de réponse : qui est coupable, qui a comploté ? Tout le monde était soupçonné, à juste titre d'ailleurs, puisque l'Empereur avait été défié par les trois hommes dont il était le plus proche, en qui il faisait le plus confiance, qu'il considérait comme ses propres fils et dont il était si fier. Mengistu, Workneh et Dibou appartenaient à la poignée des élus suprêmes ayant constamment accès à Sa Vénérable Majesté et jouissant – en cas de nécessité – de l'exceptionnel privilège d'entrer dans la chambre de l'Empereur et de le réveiller en plein sommeil ! Imaginez-vous, mon ami, l'état d'esprit de Sa Bienveillante Majesté au moment où elle se mettait au lit désormais, ne sachant jamais si elle se réveillerait le lendemain matin. Oh, l'exercice du pouvoir est un fardeau abject n'engendrant que peines et tracas ! Comment pouvions-nous échapper aux soupçons ? C'était quasiment impossible ! Quels qu'ils fussent, nos comportements et nos actes ne faisaient qu'aggraver la suspicion, ils nous enfonçaient toujours davantage. Admettons que nous tentions de nous justifier. Peine perdue ! On s'entendait aussitôt dire : « Pourquoi, mon fils, t'escrimes-tu à t'expliquer ? On dirait que tu n'as pas la conscience tranquille, que tu voudrais cacher quelque chose. Pourquoi te justifies-tu ? » Et si nous décidions de nous faire remarquer par une attitude positive ou par notre bonne volonté ? Aussitôt on nous disait : « Pourquoi te fais-tu remarquer ? On dirait que tu souhaites masquer ta vilenie, ton ignominie, à moins que tu t'apprêtes à tendre un piège ? » Ça n'allait pas non plus, c'était même pire, de pire en pire. Comme je l'ai dit, nous étions tous soupçonnés, tous coupables, même si Sa Très Gracieuse Majesté ne le disait pas directement, ouvertement. Même si elle ne disait rien, elle nous faisait reproche, cela se sentait dans ses yeux. Elle nous regardait avec une telle insistance que nous nous recroquevillions, nous nous jetions à terre en pensant avec frayeur : « Je suis coupable. » L'air était devenu lourd, épais, l'atmosphère pesante, démoralisante, paralysante, nous avions les ailes coupées, quelque chose avait éclaté en notre for intérieur. Sa Sagace Majesté savait qu'après un tel choc, une partie de ses subordonnés s'effondrerait, deviendrait amère, dépressive, silencieuse, qu'elle perdrait son élan, qu'elle succomberait aux hésitations et aux interrogations, au doute et au laisser-aller, à la faiblesse et à la dégradation. C'est la raison pour laquelle une purge fut lancée dans le Palais. Elle ne fut ni instantanée ni radicale, car Sa Magnanime Majesté était opposée à toute violence impie et tapageuse. Ce fut plutôt une opération dosée, mesurée, qui maintenait les anciens sous contrôle et dans une terreur permanente mais en même temps ouvrait les portes du Palais à des nouveaux, des gens qui voulaient vivre dans le confort et faire carrière. Ils affluaient du pays tout entier, envoyés au Palais par des préfets en qui l'Empereur avait pleinement confiance. Inconnus de l'aristocratie et méprisés d'elle pour leurs manières

grossières et leur mentalité rustre, ils éprouvaient de
l'hostilité et de la peur à l'égard des salons de la capitale.
Ils formèrent rapidement une coterie spécifique qui se
rassembla autour de la personne de Son Incomparable
Majesté. La magnanimité de Notre Vénérable Souverain leur donnait un sentiment de toute-puissance qui
les grisait, sentiment dangereux chez ceux qui étaient
tentés de troubler l'atmosphère vespérale des salons
aristocratiques ou d'irriter abusivement la société qui
s'y réunissait. Oh, quelle immense sagesse, quel tact
extraordinaire il faut pour assujettir un salon ! De
la sagesse... ou des mitraillettes, comme vous
pouvez, mon cher ami, le constater par vous-même
aujourd'hui en regardant notre ville martyre. Progressivement ces hommes de l'Empereur, ces élus de Sa
Majesté s'infiltrèrent dans les administrations du
Palais en dépit de la grogne des membres du Conseil
de la couronne, pour qui ces favoris étaient des
hommes de dernier choix dont le niveau de culture
ne correspondait pas aux critères nécessaires pour
servir le Roi des Rois. Ce mécontentement témoignait
de la scandaleuse naïveté des membres du dit Conseil
qui considéraient comme une faiblesse ce que Sa
Majesté considérait comme une force, incapables de
comprendre le principe de renforcement par la déva-
lorisation. Ils avaient oublié le feu attisé, la veille, par
ceux qui avaient été jadis promus par Sa Majesté.
L'atout des hommes nouveaux était qu'ils n'avaient
aucun passé, n'avaient pris part à aucun complot, ne
traînaient derrière eux aucune affaire compromettante,

n'avaient rien d'infamant à cacher dans la doublure de
leurs vêtements et, si étonnant que cela puisse paraître,
ne savaient rien des complots. De toute façon, ils ne
pouvaient rien en savoir puisque Sa Vénérable Majesté
interdisait l'écriture de notre histoire. Ils étaient trop
jeunes et avaient grandi trop loin de la capitale pour
savoir que l'Empereur lui-même avait accédé au pouvoir grâce à un complot quand, en 1916, avec l'aide
des ambassades occidentales, il avait organisé un coup
d'État et destitué Lij Yasu, l'héritier légal du trône ;
que, face à l'invasion italienne, il avait publiquement
juré de verser son sang pour l'Éthiopie, puis, quand
l'armée italienne avait envahi le pays, il avait embar-
qué dans un navire à destination de l'Angleterre et
passé la guerre dans la petite ville tranquille de Bath.
Par la suite, il développa un tel complexe d'infériorité
vis-à-vis des chefs de la Résistance demeurés au pays
pour lutter contre l'envahisseur que lorsqu'il remonta
sur le trône, il se mit à les liquider un à un ou à les
éloigner tout en distribuant ses faveurs aux colla-
borateurs. Il élimina, entre autres, le grand chef militaire Betwoded Negash qui, dans les années 1950,
s'était opposé à lui et voulait proclamer la république.
De nombreux autres événements me reviennent à la
mémoire, mais au Palais il était interdit d'en parler, et
comme je l'ai dit, les hommes nouveaux ne pouvaient
pas les connaître. Ils ne manifestaient d'ailleurs pas
une curiosité excessive à leur égard. Comme ils
n'avaient aucun lien avec le passé, leur unique chance
de survie était de rester attaché au trône. Leur unique

appui était l'Empereur. Ainsi, Son Incomparable
Majesté créa une force qui, au cours des dernières
années de son règne, étaya le fauteuil impérial que
Germane avait ébranlé.


## Z. S.-K. :

… et tandis que la purge suivait son cours, tous les
jours, à l'approche de l'heure des Nominations – et
donc des dégradations –, nous, les anciens fonctionnaires du Palais, nous tremblions et frémissions en
pensant à notre avenir, prêts à tout pour ne pas nous
voir confisquer le bureau sur lequel nous étions
accoudés. Pendant le procès de Mengistu, nous grelot-
tions tous sur nos jambes à l'idée que le général se
mette à donner les preuves de notre implication dans
le complot, car la participation la plus lointaine,
l'approbation la plus secrète et la plus silencieuse se
soldait inévitablement par le gibet. Aussi, lorsqu'il
apparut que Mengistu se tairait jusqu'au jour du Jugement dernier sans dénoncer personne, un soupir de
soulagement s'échappa de derrière les bureaux. Mais
la peur de la potence fut aussitôt remplacée par une
autre peur, celle de la purge, celle de sa propre élimi-
nation. Désormais, Sa Généreuse Majesté n'expédiait
plus au cachot, elle se contentait de renvoyer ses sujets
à la maison, une révocation qui revenait à condamner
au néant. Jusqu'à présent, on avait été un homme
du Palais, un personnage important, en vue, nominé,

puissant, influent, respecté et écouté, tout cela donnait le sentiment d'exister, d'être présent sur terre, de mener une vie pleine de sens, d'avoir du poids et d'être utile. Or voilà que Sa Majesté vous convoquait à l'heure des Nominations et vous renvoyait chez vous, pour toujours. En une seconde, tout disparaissait, tout cessait d'exister. Plus personne ne parlait de vous, plus personne ne vous flattait, plus personne ne vous vénérait. Vous répétiez les mêmes propos que la veille, mais si hier, ils étaient bus avec dévotion, aujourd'hui ils n'attiraient plus l'attention. Dans la rue, les gens vous croisaient avec indifférence, et vous saviez désormais que le plus petit fonctionnaire provincial pouvait se permettre de vous titiller. Sa Majesté vous avait transformé en un petit enfant faible et vulnérable, elle vous avait jeté en pâture aux chacals. Bon vent ! Il n'aurait plus manqué qu'ils se mettent à chercher, à fouiller, à gratter ! Dieu vous en préserve ! Il m'arrivait toutefois de penser qu'au fond, ce ne serait peut-être pas si mal, car s'ils se mettaient à gratter, au moins vous existiez de nouveau, même si c'était de manière négative, en paria. Au moins, vous reviviez, vous cessiez de couler, vous sortiez la tête de l'eau et les gens disaient : « Regardez ! Il est toujours là ! » Que vous restait-t-il, sinon ? L'inutilité, le néant, le doute d'avoir un jour existé. Le Palais était en proie à une telle peur de l'abîme que chacun essayait de se raccrocher à Sa Majesté sans savoir que le Palais tout entier, avec dignité et douceur, lentement mais sûrement, sombrait dans le gouffre.

**P. M. :**

... et vraiment, mon ami, une fois la fumée dissi-
pée, les salons furent submergés par ce que j'appelle-
rais une atmosphère vague. Il m'est difficile de définir
en quoi elle consistait, mais elle était générale, on la
sentait partout, on la lisait sur les visages devenus plus
petits, toujours baissés, sans lumière ni énergie. Cet
état d'esprit négatif se faisait aussi sentir dans les actes
et dans le comportement de tous, dans leurs propos
silencieux, dans leur présence absente, recroquevillée,
lointaine, dans leur existence éteinte, dans leur pensée
sans envergure, mesquine, dans leurs centres d'intérêt
étroits et étriqués, dans leur laisser-aller, dans leur
esprit obscur, dans leur inertie au sein de l'agitation
générale, dans leur train-train quotidien, dans leurs
piétinements. Partout on se sentait submergé par cette
vague négative. Bien que l'Empereur continuât de
promulguer décret sur décret et d'œuvrer pour mener
à bien ses vénérables projets, bien qu'il continuât de
se lever de bonne heure sans jamais prendre de repos,
tout finissait par échouer sur une rive négative, de
plus en plus négative, car depuis que Germame s'était
donné la mort et que son frère avait été pendu sur la
grande place de la ville, un courant négatif parcourait
les hommes et les choses. Les hommes semblaient
incapables de maîtriser celles-ci tandis que les
choses existaient sans exister, par leur seule force
maligne, elles leur glissaient entre les mains. Tout le
monde était désemparé face à leurs apparitions et

leurs disparitions incontrôlables, personne n'était capable de briser ou de maîtriser leur puissance souveraine. Pétrifiés comme un oiseau sur la branche, les hommes étaient tous en proie à un sentiment permanent de désarroi, de défaite, de mise à l'écart, qui renforçait encore plus leur attitude négative, leur dépression, leur détresse. Même les conversations devenaient médiocres, elles perdaient élan et vigueur. Elles commençaient sans jamais vouloir arriver à leur terme. Elles atteignaient un point invisible mais perceptible, au-delà duquel s'installait un silence, un silence qui disait que tout était connu et clair, mais clair au sens d'obscur, connu au sens d'impossible à connaître, puissant dans son impuissance. Une fois cette vérité attestée par une pause silencieuse, la conversation changeait de direction et passait à un autre sujet, futile, secondaire, dérisoire. Le Palais sombrait dans l'abîme, et nous qui étions au service de Sa Vénérable Majesté depuis longtemps et qui avions été épargnés par la purge, nous le sentions tous, nous sentions que la température ne cessait de baisser, que la vie était de plus en plus strictement encadrée dans un rituel, qu'elle devenait de plus en plus irréelle, banale, négative.

*P. M. poursuit son récit en disant que même si l'Empereur considérait l'insurrection de décembre comme une affaire classée et qu'il ne revenait jamais sur le sujet, le coup d'État fomenté par les frères Neway avait engendré une cascade de conséquences de plus en plus destructrices pour le Palais. Au fur et à mesure que le temps passait, ces effets, au lieu de s'affaiblir, s'aggravaient, modifiant la vie de la Cour et de l'Empire. Après le choc, le Palais ne devait plus jamais connaître la sérénité. Petit à petit, la situation dans la ville devait aussi changer. Les rapports secrets de la police contenaient les premières allusions à des troubles. Heureusement – précise P. M. – il ne s'agissait pas d'une agitation à grande échelle, révolutionnaire, mais plutôt – du moins au début – de frémissements, de légères oscillations, de murmures, de chuchotements, de ricanements ambigus, d'un trop-plein de lassitude, de langueur, d'abattement, de pagaille, qui se traduisait par une espèce de dérobade et de refus. P. M. reconnaît qu'il était difficile de prendre des mesures policières sur la base de ces rapports, car ils étaient d'un flou, voire d'une innocence réconfortante. Ils indiquaient simplement qu'il y avait quelque chose dans l'air, sans préciser de quoi il s'agissait ni où cela se passait. Où envoyer des blindés et dans quelle direction ordonner de tirer si on ne disposait pas d'informations précises ? Le plus souvent, les rapports faisaient état de messes basses en provenance de l'université – une université toute neuve, l'unique établissement d'enseignement supérieur du pays – où des éléments sceptiques et hostiles, venus d'on ne sait où, étaient prêts à répandre des calomnies méchantes et sans fondements, dans le seul but de créer des soucis à l'Empereur. P. M.*

dit ensuite que le monarque, malgré son âge avancé, avait conservé une perspicacité forçant l'admiration de son entourage, qu'il comprenait mieux que ses proches que des temps nouveaux étaient en train de naître et qu'il était temps de relever le défi, de se moderniser, d'accélérer les réformes pour rattraper le retard. Rattraper le retard, voire prendre la tête du peloton ! Il avoue – puisque désormais on peut en parler ouvertement – qu'une partie du Palais voyait d'un mauvais œil ces ambitions. En privé, on marmonnait qu'au lieu de succomber à la tentation d'innovations et de réformes incertaines, il valait mieux brider les élucubrations, venues de l'étranger, dont la jeunesse s'était entichée et éradiquer les idées folles selon lesquelles le pays devait changer, se transformer. L'Empereur restait toutefois sourd à la grogne des aristocrates et aux murmures des étudiants, considérant que tout extrême est préjudiciable et contraire à la nature. Manifestant son bon sens et sa prévoyance innés, il élargit le champ de son pouvoir en s'impliquant dans de nouveaux domaines. Il institua ainsi de nouvelles séances gouvernementales entre quatre et sept heures de l'après-midi, notamment l'heure du Développement, l'Heure internationale ainsi que l'heure de l'Armée et de la Police. Dans le même but, l'Empereur créa des ministères et des départements correspondants, des administrations auxiliaires, des filiales, des délégations et des commissions où il plaça des cohortes de gens nouveaux, bien disposés à son égard, dévoués et loyaux. Le Palais se remplit ainsi d'une nouvelle génération de favoris qui aspiraient *énergiquement à faire carrière. C'était, comme le précise P. M., le début des années 1960.*

P. M. :

Une manie, mon cher ami, s'empara de cet univers fou et imprévisible, la manie du Développement. Tout le monde aspirait au Développement ! Chacun ne pensait plus qu'à la manière de se développer, non pas naturellement, en conformité avec la loi divine selon laquelle l'homme naît, se développe et meurt, mais de façon extraordinaire, dynamique et puissante. Tout le monde voulait se développer pour épater et rendre jaloux, se faire remarquer et applaudir. D'où venait-elle, cette manie ? Nul ne le sait. Comme des moutons, les sujets de l'Empereur se lancèrent tous dans la course, en proie à un aveuglement cupide. Il suffisait qu'au fin fond de la planète, quelqu'un se développe pour que tous veuillent se développer. Et tous de faire pression, de tempêter, d'exiger un Développement pour élever le niveau et rattraper le retard. Mon ami, il suffisait que leurs voix fussent négligées pour qu'aussitôt éclatent des mutineries, des cris, des rébellions, des rejets, des frustrations, des dépressions. Notre Empire existait, pourtant, depuis des siècles, des millénaires même, sans avoir jamais connu le moindre Développement. Ses souverains avaient, de tout temps, été respectés, entourés d'une vénération divine, qu'il s'agisse de l'empereur Zera Jacob, Téwodros ou Johannès, tous avaient été adorés. Qui aurait eu l'idée de s'incliner, front contre terre, devant le monarque et de le supplier de développer l'Empire ! Mais grâce à son sens inné des réalités et à sa générosité, Sa Vénérable Majesté se rendait compte que le monde avait commencé à changer. Elle accepta donc le Développement, car elle percevait les avantages et les charmes de toute innovation coûteuse. Comme elle avait toujours eu un faible pour le progrès sous toutes ses formes – on peut même dire qu'elle l'adorait –, son vénérable et généreux désir d'agir et son ambition manifeste mirent une fois de plus tout en œuvre pour que le peuple fût rassasié et qu'en liesse, il se mette à chanter ses louanges : « Hosanna ! Notre Souverain nous a développés. » Il faut bien reconnaître qu'à la séance du Développement – entre quatre et cinq heures de l'après-midi –, Sa Majesté faisait preuve d'une vivacité et d'une perspicacité particulières. Elle recevait des cohortes de planificateurs, d'économistes, de financiers, elle discutait, interrogeait, encourageait, félicitait. Les uns planifiaient, les autres édifiaient. Bref, le Développement était lancé pour de bon. Son Infatigable Majesté parcourait le pays, inaugurant ici un pont neuf, là un bâtiment, ailleurs un aéroport, et elle donnait à tous ces ouvrages son nom : le pont Hailé Sélassié à Ogaden, l'hôpital Hailé Sélassié à Harar, le Hall d'exposition Hailé Sélassié dans la capitale. Ainsi, tout ce qui sortait de terre était gratifié du nom de l'Empereur. Sa Majesté posait également les premières pierres, surveillait l'évolution des chantiers, coupait des rubans, participait à la cérémonie de mise en route d'un tracteur. Partout, comme je l'ai dit, elle discutait, posait des questions, encourageait, félicitait. Le Palais était orné d'une carte du Développement sur laquelle – quand Sa Vénérable Majesté appuyait sur un bouton – de petites lumières, fléchettes, étoiles ou points s'allumaient, clignaient, papillotaient, pour le plaisir des yeux des dignitaires, même si certains voyaient dans tout cela une preuve de l'excentricité du monarque. Mais en général, les délégations étrangères, africaines ou autres, se régalaient du spectacle de la carte clignotante, et après avoir écouté les explications de l'Empereur sur les lumières, les fléchettes, les étoiles et les points, elles aussi se mettaient à discuter, à poser des questions, à encourager, à féliciter. Cela aurait duré des années, à la grande joie de Sa Très Exceptionnelle Majesté, si nos étudiants contestataires qui, depuis la mort de Germame, relevaient la tête de plus en plus haut, n'avaient raconté des horreurs, tenu des propos incompréhensibles et insultants à l'encontre du Palais. Ces blancs-becs, au lieu de manifester leur reconnaissance à l'égard des bienfaits de l'instruction, se lançaient dans les eaux troubles et traîtresses de la calomnie et de la sédition. Hélas, mon ami, il faut dire la triste vérité ! Sans tenir compte du fait que Sa Majesté conduisait l'Empire sur la voie du Développement, les étudiants se mirent à reprocher au Palais sa démagogie et son hypocrisie. Comment est-ce possible, disaient-ils, de parler de Développement

quand une misère noire règne dans le pays, que le
peuple est écrasé par la pauvreté, que des provinces
entières crèvent de faim, que peu de gens ont de quoi
se chausser, qu'une poignée de sujets, à peine, sait lire
et écrire, qu'un patient atteint d'une maladie grave
est sûr de mourir à cause du manque d'hôpitaux et
de médicaments, que l'obscurantisme, la barbarie,
l'humiliation, l'avilissement, le despotisme, la tyrannie,
l'exploitation et le désespoir, etc. règnent en maître.
Mon cher visiteur, ils critiquaient et dénigraient tout.
Au fur et à mesure que le temps passait, ils dénonçaient,
avec une assurance, une vigueur et une arrogance crois-
santes, l'harmonieuse politique de Développement,
profitant de la bienveillance de Sa Vénérable Majesté
qui ordonnait rarement de faire feu sur cette racaille
rebelle, de plus en plus nombreuse à sortir de l'université. Finalement arriva le moment où leurs revendications prirent une forme de folie insolente.
Le Développement, criaient-ils, est impossible sans
réforme. Il faut donner la terre aux paysans, abolir les
privilèges, démocratiser la société, liquider le féoda-
lisme et libérer le pays de la tutelle étrangère. Mais de
quelle tutelle parlaient-ils, je vous le demande,
puisque nous étions indépendants ? Depuis trois millénaires, nous étions un État indépendant ! Leurs
propos n'étaient que gazouillis d'étourneaux. Du
reste, je vous le demande encore, comment réformer
sans tout faire s'effondrer ? Comment détruire sans
tout faire tomber ? Parmi eux, y en avait-il au moins
un qui se posât la question ? D'un autre côté,

développer et nourrir la population en même temps,
c'est une gageure, car où prendre l'argent ? Le père
Noël n'existe pas ! De plus, l'Empire ne produit pas
grand chose et n'a rien à exporter. Alors, comment
remplir les caisses ? C'est bien là le problème, que
Notre Souverain Tout-Puissant essayait de résoudre,
avec la bienveillante sollicitude et l'attention particulière dont il faisait la démonstration constante à
l'Heure internationale.


T. :

La vie internationale, c'est formidable ! Je me souviens des visites : aéroports, accueils officiels, cascades
de fleurs, accolades, fanfares. Chaque instant était
lissé par le protocole. Puis, c'étaient les limousines, les
réceptions, les toasts, écrits et traduits, les galas, les
lumières, les louanges, les entretiens cordiaux, les
thèmes mondiaux, l'étiquette, la pompe, les cadeaux,
les suites. Enfin, bien sûr, venait la lassitude. Après
une journée pareille, tout le monde était fatigué, mais
c'était une fatigue magnifique, saine, raffinée, respectable, digne, honorable, en un mot, une fatigue internationale ! Le lendemain commençaient les visites :
les enfants à caresser, les cadeaux à accepter, la fièvre,
le programme, la tension, mais une tension agréable,
sublime qui libérait momentanément des soucis du
Palais, mettait à distance les tracas impériaux, permettait d'oublier les pétitions, les coteries, les complots.

Pourtant, Sa Très Indulgente Majesté, malgré la magnificence de l'accueil qui lui était réservé, malgré les flashs des projecteurs, restait constamment informée de la situation dans l'Empire, du budget, de l'armée, des étudiants. Moi qui, dans la suite impériale, n'était que le chef de la sixième décade, huitième rang, neuvième niveau, j'ai eu droit à ces splendeurs internationales. Il faut que vous sachiez, mon cher ami, que Sa Majesté affectionnait particulièrement les voyages à l'étranger. Dès 1924, Sa Gracieuse Majesté fut le premier monarque de notre histoire à franchir les frontières de l'Empire et à honorer de sa visite les pays européens. On peut dire qu'il s'agissait d'une inclination familiale, héritée de son père, feu le prince Makonen qui, à plusieurs reprises, fut envoyé à l'étranger par l'empereur Ménélik pour des négociations. J'ajouterai que Sa Majesté ne s'est jamais départie de ce petit faible. Contrairement à l'ordre naturel des choses qui veut qu'avec l'âge, les gens préfèrent rester à la maison, Son Infatigable Majesté, en vieillissant, voyageait de plus en plus, effectuait de plus en plus de visites officielles, se rendait de plus en plus souvent dans les pays les plus éloignés, se perdait de plus en plus dans des pérégrinations, au point que certains journalistes malveillants de la presse étrangère l'avaient surnommé « l'ambassadeur volant ». « Quand Sa Majesté a-t-elle l'intention de visiter son propre Empire ? » demandaient-ils. Le moment est venu, mon cher ami, de formuler en chœur nos griefs à l'encontre de l'inconvenance et de la malveillance des journaux étrangers qui, au lieu d'œuvrer pour le rapprochement et la compréhension des peuples, étaient prêts à toutes les infamies et se mêlaient, avec une délectation excessive, de nos affaires intérieures. Quand je réfléchis, aujourd'hui, aux raisons qui poussaient Sa Vénérable Majesté à voyager de plus en plus, à effectuer de plus en plus souvent des visites officielles, malgré le fardeau des années qui lui écrasaient les épaules, je me dis que la vanité rebelle des frères Neway n'y est, peut-être, pas étrangère. En critiquant de manière impie et irresponsable l'obscurantisme et l'état d'arriération du pays, ils détruisirent à jamais la douce paix de l'Empire. Des journalistes s'emparèrent de ces calomnies pour diffamer Sa Majesté, des étudiants tombèrent sur ces articles, on se demande bien comment, car Sa Miséricordieuse Majesté interdisait rigoureusement l'importation de mensonges. Ils se mirent alors à manifester, à critiquer, à remettre en cause la stagnation et le Développement. Mais comme Sa Majesté sentait l'esprit du temps, elle renforça sa politique de Développement juste après la sanglante rébellion si infamante pour l'Empire. Une fois qu'elle eut châtié, il ne lui restait pas d'autre issue que de partir en tournée, de capitale en capitale, en quête d'aide, de crédits, de capitaux, car notre Empire était peuplé de va-nu-pieds faméliques et misérables. C'est là que Sa Majesté montra sa supériorité sur les étudiants. Elle leur prouva qu'il est possible de développer sans réformer. Vous allez me demander comment c'est possible, mon ami. C'est simple comme bonjour : pour faire construire des usines, on a besoin de capitaux étrangers mais pas de réformes. Sa Majesté avait trouvé la solution : elle refusa les réformes, mais fit construire des usines à foison, autrement dit elle mit en œuvre le Développement. Si vous suivez la route qui va du centre ville vers Debre Zeit, vous verrez des usines qui se suivent les unes après les autres, des usines modernes, des usines automatiques ! Maintenant que Sa Noble Majesté a fini ses jours dans un abominable abandon, j'ose avouer que moi aussi, j'ai mon idée sur les voyages et les visites impériales. Sa Majesté avait une vision des choses plus approfondie et pertinente que quiconque. En regardant ce qui se passait autour de lui, l'Empereur comprenait qu'une époque était en train de se terminer et qu'il était trop vieux pour contenir l'avalanche imminente. Il était de plus en plus âgé, impuissant, fatigué, épuisé. Il avait de plus en plus besoin de repos, de détente. Or ces visites étaient pour lui une parenthèse qui lui permettait de se délasser, de reprendre son souffle. Il pouvait, pendant un laps de temps, ne pas lire les dénonciations, ne pas écouter les rugissements des manifestants et les coups de feu de la police, ne pas voir les visages des flagorneurs et des flatteurs. Au moins pendant une journée, il n'était pas obligé de résoudre l'insoluble, de réparer l'irréparable, de guérir l'inguérissable. Dans ces pays lointains, personne ne complotait contre lui, personne n'affûtait son couteau dans son dos, il n'avait personne à condamner, à châtier, à pendre. Il pouvait se

coucher en toute quiétude, assuré qu'il serait en vie le
lendemain matin. Il pouvait converser à cœur ouvert
avec un président. Et oui, mon ami, permettez-moi
encore une fois de m'émerveiller de la vie internationale. Comment supporter le fardeau d'un gouvernement sans vie internationale ? Où, en fin de compte,
trouver reconnaissance et compréhension si ce n'est
dans un monde lointain, dans des pays étrangers, au
cours d'entretiens intimes avec des souverains qui
compatissent à nos peines, car eux-mêmes ont les
mêmes soucis et les mêmes tracas ? En fait, la réalité
était un peu différente de ce que je décris ici. Et puisqu'on en est aux confidences, j'ose déclarer que pendant les dernières années de règne de Notre
Bienfaiteur, les succès se faisaient de plus en plus rares
et les problèmes de plus en plus nombreux. En dépit
des efforts déployés par Notre Monarque, les progrès étaient au point mort. Or, dans le monde
d'aujourd'hui, comment se justifier quand on n'atteint
pas les objectifs assignés ? Certes, il est toujours possible de fabuler, de multiplier tout par deux, de se
lancer dans des explications et des justifications, mais
aussitôt les fauteurs de trouble élèvent la voix et
lancent des médisances. À l'époque, la perfidie et
l'anticonformisme étaient si répandus que les gens
prêtaient foi davantage aux contestataires qu'aux discours du trône. Sa Suprême Majesté préférait donc
partir à l'étranger, car là-bas, en faisant des discours,
en réglant des conflits, en louant le Développement,
en entraînant ses frères-présidents sur la voie juste, en

compatissant au destin de l'humanité, elle se mettait à l'abri des soucis et des tourments du pays et trouvait une compensation salutaire sous forme de splendeurs suprêmes et de louanges bienveillantes de la part des gouvernements et des cours étrangères. Il faut garder à l'esprit que malgré les écueils de sa longue vie, Sa Majesté n'a jamais cessé de lutter, même pendant les épreuves les plus grandes et les moments de découragement les plus profonds. Malgré sa lassitude et son besoin de gratifications, elle n'a jamais songé à quitter le trône. Au contraire, plus les adversaires se multipliaient et plus l'opposition se renforçait, plus Sa Majesté manifestait de diligence, notamment à l'heure de l'Armée et de la Police au cours de laquelle elle consolidait la stabilité et l'ordre dans l'Empire.

B. H. :

Tout d'abord, je me dois de souligner que Sa Majesté, être suprême du Royaume, se situait au-dessus des lois puisqu'elle était l'unique source du droit et n'était soumise à aucune norme ni à aucune règle, qu'elle dominait tout ce qui existait, tout ce qui avait été créé par Dieu ou par les hommes, et qu'elle était, par conséquent, le commandement suprême des armées et de la police. Cette double fonction induisait des obligations exigeant beaucoup de rigueur ainsi qu'un contrôle vigilant de ces institutions, d'autant plus que les événements de décembre avaient donné lieu à des troubles honteux, une insubordination offensante, voire des trahisons sacrilèges au sein de la garde impériale et de la police. Heureusement, les généraux de l'armée avaient prouvé leur loyauté en cette épreuve inattendue, en permettant à Sa Majesté de récupérer douloureusement, certes, mais dignement son trône. Seulement, après avoir sauvé l'Empire, ces messieurs se mirent à importuner Notre Bienfaiteur en exigeant une récompense. L'état d'esprit qui régnait dans l'armée était en effet si terre-à-terre que ses membres évaluaient leur loyauté en espèces sonnantes et trébuchantes et attendaient que Sa Généreuse Majesté leur bourre les poches. Les généraux avaient oublié que les privilèges sont source de corruption et que la corruption souille l'honneur de l'uniforme. Leur insolence et leur audace gagna les commandants de la police qui voulaient, à leur tour, être corrompus, inondés de privilèges, gavés d'argent. Tout cela parce qu'en observant la faiblesse croissante du Palais, ils avaient déduit, à juste raison, que Notre Monarque risquait désormais de faire souvent appel à leurs services et qu'ils seraient, pour finir, le soutien le plus sûr, sinon le seul, du pouvoir absolu. C'est à cette époque que Sa Prévoyante Majesté instaura l'heure de l'Armée et de la Police, au cours de laquelle elle distribuait aux officier supérieurs des faveurs généreuses et s'occupait avec une sollicitude immense des institutions assurant l'ordre et la stabilité parmi le peuple. Grâce à l'aide de Sa Miséricordieuse Majesté, les généraux purent se ménager une vie confortable : avec ses trente millions de paysans et ses quelque cent mille soldats et policiers, notre Empire consacrait un pour cent de son budget à l'agriculture alors qu'il en affectait quarante à l'armée et à la police. Cela donnait aux étudiants un argument supplémentaire pour alimenter leur philosophie à trois sous et leurs vaines calomnies. Mais comment leur donner raison ? Sa Majesté n'était-elle pas la première à avoir créé une armée régulière dans l'histoire du pays, une armée payée par le seul Trésor impérial. Auparavant, l'armée n'était constituée que par des levées en masse. Des quatre coins de l'Empire, les recrues se ruaient sur les champs de bataille, raflant tout sur leur passage, pillant les villages traversés, massacrant les paysans, exterminant le bétail. Après ces expéditions qui n'en finissaient jamais, le pays offrait le tableau d'un sinistre champ de bataille et de ruines dont il ne réussissait jamais à se remettre. Sa Vénérable Majesté châtia les saccages perpétrés, elle interdit les levées en masse et demanda aux Britanniques de créer une armée de métier, mission qui fut accomplie une fois les Italiens chassés du pays [1]. Sa Noble Majesté adorait son armée, elle organisait volontiers des parades et se plaisait à endosser son uniforme de maréchal, cliquetant de décorations et de médailles. Sa fonction impériale lui interdisait toutefois d'entrer dans les détails de la vie

1. En 1935, l'armée fasciste envahit l'Éthiopie, contraignant le Négus à s'exiler jusqu'à la libération du pays grâce à l'armée britannique durant la Seconde Guerre mondiale (*NdT*).

de caserne et de suivre la vie du simple soldat et du
sous-officier. La machine servant à déchiffrer les codes
militaires devait souvent tomber en panne puisqu'on
apprit, par la suite, que l'Empereur n'était pas au courant de ce qui se passait derrière les murs des casernes.
Ignorance qui eut, hélas ! des conséquences fatales
pour le destin du trône et de l'Empire.


P. M. :

... grâce à la sollicitude et à la générosité de Notre
Bienfaiteur à l'égard des forces de l'ordre, les effectifs
de la police augmentèrent à tel point qu'au cours des
dernières années du règne de Notre Monarque, les
oreilles se mirent à croître et à se multiplier, partout,
dans tous les coins et recoins, par terre, contre les
murs, dans les airs, derrière les poignées de portes,
dans les bureaux, dans la foule, dans les halls des
immeubles, sur les marchés, à tel point que voulant
se protéger contre le fléau des délateurs, les gens
– sans qu'on sache comment, ni où, ni quand, sans
écoles, sans cours, sans disques et sans dictionnaires –
apprirent une nouvelle langue. Rapidement, ils se
mirent à parler couramment un nouveau langage, le
maîtrisant à la perfection et le maniant avec une
grande virtuosité. C'est ainsi que des hommes simples
et frustes se transformèrent en locuteurs parfaitement
bilingues. Ce bilinguisme leur était grandement utile,

il leur sauvait même la vie, leur assurait la tranquillité, leur permettait d'exister. Bien que chacune des deux langues eût un vocabulaire et une grammaire spécifiques, tout le monde finit par venir à bout des difficultés d'apprentissage et par s'exprimer dans le langage voulu au moment voulu. L'un des deux servait à s'exprimer à l'extérieur, l'autre à l'intérieur ; le premier était doux, le deuxième amer ; l'un était lisse, l'autre rugueux ; celui-ci pouvait se pavaner, l'autre devait rester caché au fond du gosier. En fonction du contexte et des circonstances, chacun choisissait la langue adéquate, la publique ou la clandestine, l'officielle ou la confidentielle.

M. :

Quand je pense, mon très cher ami, qu'au beau milieu de cette période florissante et resplendissante, au cœur de cette prospérité et ce bien-être décidés par Notre Monarque, une insurrection éclata soudain ! Comme un coup de tonnerre dans un ciel sans nuages ! Surpris, stupéfiés, affolés, les courtisans s'arrachaient les cheveux, Sa Noble Majesté demandait : D'où vient cette insurrection ? Que pouvions-nous lui répondre, nous, humbles serviteurs ? Toute créature est à la merci d'un accident, l'Empire ne fait pas exception à la règle. Or justement, en 1968, la province de Gojam fut le théâtre d'un terrible malheur : les paysans sautèrent à la gorge des autorités.

Les notables jugèrent tous cette attitude inconvenante, car notre peuple est, de nature, docile, résigné, pieux, absolument pas enclin à la rébellion. Or, comme je vous le disais, voilà qu'une insurrection éclate, de but en blanc, sans crier gare ! Dans notre tradition, la soumission est la vertu suprême. Même Sa Magnanime Majesté, quand elle était enfant, baisait les chaussures de son père. Quand les aînés prennent leur repas, les enfants doivent tourner le visage vers le mur pour ne pas succomber à la tentation impie de se hausser au même niveau que leurs parents. J'évoque tout cela, mon cher monsieur, afin que vous compreniez que si, dans un pays comme le nôtre, les sujets se révoltent, c'est qu'ils doivent avoir une bonne raison pour le faire. Disons que leur révolte s'expliquait par le fort maladroit excès de zèle du ministère des Finances. Nous vivions ces fameuses années de Développement forcé qui devait nous causer tant de tracas. Pourquoi des tracas ? Pour la bonne raison qu'en plaidant la cause du Développement, Sa Majesté avait aiguisé l'appétit et l'envie de certains sujets qui s'engouffrèrent avec fougue dans ce projet, espérant que le Développement leur apporterait douceurs et délices. Dès lors, ils n'eurent de cesse de réclamer pitance et finance, bonbons et améliorations. Mais les plus gros soucis vinrent des progrès de l'instruction, car les jeunes ayant terminé leur scolarité étaient de plus en plus nombreux. Il fallait donc les caser dans l'administration, ce qui entraîna un gonflement de la bureaucratie et un accroissement considérable des dépenses de l'État. Or comment peut-on demander à des fonctionnaires de se serrer la ceinture s'ils constituent le soutien le plus solide et le plus loyal du pouvoir ? Un fonctionnaire critiquera en douce, grognera intérieurement, mais si on le lui ordonne, il se taira et s'il le faut, il se lèvera pour défendre le trône. Il en est de même pour les courtisans. On ne peut donc pas les mettre à la portion congrue, car ils font partie de la famille du Palais. Pour les officiers, c'est la même chose, car ils assurent la mise en œuvre du Développement dans l'ordre et dans la paix. Aussi, à l'heure du Coffre, des foules d'hommes se présentaient devant Sa Majesté tandis que le contenu du Trésor public se réduisait comme peau de chagrin. De jour en jour, Sa Bienveillante Majesté était en effet contrainte de dépenser de plus en plus d'argent pour payer la loyauté de ses sujets. Et comme le prix de la loyauté ne cessait de grimper, il devint urgent d'augmenter les revenus de l'État. C'est précisément à ce moment-là que le ministère des Finances ordonna aux paysans de payer de nouveaux impôts. Aujourd'hui, je peux me permettre de dévoiler qu'il s'agissait d'une décision de Son Éminente Majesté, mais comme l'Empereur, en sa qualité de bienfaiteur clément, ne pouvait pas imposer de décisions désobligeantes et malheureuses, tous les décrets imposant un fardeau supplémentaire au peuple étaient publiés sous l'égide d'un ministère. Si le peuple ne pouvait pas supporter ce fardeau et qu'il se lançait dans une rébellion, Sa Généreuse Majesté

blâmait le ministère en question et changeait de
ministre. Bien sûr, elle ne le faisait pas tout de suite
afin de ne pas donner l'impression humiliante qu'elle
avait cédé aux injonctions de la populace déchaînée.
Au contraire, quand elle éprouvait le besoin de prouver sa toute-puissance monarchique, elle nommait les
dignitaires les plus honnis aux postes les plus élevés,
comme si elle voulait narguer les contestataires et leur
dire : « C'est moi le chef ! Je suis capable de rendre
possible l'impossible ! » Taquinant gentiment ses
subordonnés, Sa Vénérable Majesté démontrait ainsi
sa force et son audace. Donc, mon cher ami, des rapports en provenance de la province de Gojam faisaient
état de troubles : les paysans se bagarraient, se rebellaient, fendaient le crâne des percepteurs, chassaient
les notables, brûlaient les propriétés, saccageaient les
récoltes. Le gouverneur écrivait que les insurgés prenaient d'assaut les administrations ; quand ils tombaient sur des hommes de l'Empereur, ils les
insultaient, les torturaient, puis les mettaient en
pièces. À croire que plus la soumission a été longue
et le silence pesant, plus la réaction est agressive et
violente. Dans la capitale, les étudiants manifestaient,
chantaient les louanges des rebelles, montraient du
doigt la Cour, lançaient des calomnies. Heureusement
que la province insurgée se trouvait loin de la capitale : il était donc possible de l'isoler, de la faire encer-
cler par l'armée, d'ouvrir le feu, d'écraser la rébellion
dans le sang. Mais avant d'en arriver là, une peur
immense s'empara du Palais, car on ne sait jamais

jusqu'où un volcan en éruption peut cracher ses coulées de lave. C'est pourquoi Sa Sagace Majesté, voyant à quel point l'Empire chancelait, commença par envoyer des forces de répression dans la province de Gojam pour couper la tête aux paysans. Puis, face à la résistance incompréhensible des insurgés, elle ordonna l'annulation du nouvel impôt et blâma le ministère concerné pour son excès de zèle. Sa Vénérable Majesté réprimandait les fonctionnaires incapables de comprendre un principe fondamental : celui du deuxième sac. Le peuple, en effet, ne s'insurge jamais parce qu'on lui fait porter un fardeau trop lourd, il ne s'insurge jamais parce qu'on l'exploite, car il ne connaît pas de vie sans exploitation, il ne sait pas qu'on peut vivre sans être exploité. Comment peut-on aspirer à quelque chose qui n'existe pas dans son imagination ? Le paysan se révolte seulement quand brusquement, on essaie de lui jeter un deuxième sac sur les épaules. Il est alors incapable de se retenir, il tombe le visage dans la boue, certes, mais il se relève et s'empare d'une hache. Non pas, mon très cher monsieur, qu'il se sente incapable de soulever ce deuxième sac, non, il en est tout à fait capable. Il se redresse parce qu'il sent qu'en voulant lui imposer ce poids supplémentaire, sans ménagement, brutalement, on a essayé de le rouler, on l'a traité comme une bête de somme stupide, on a piétiné le peu de dignité qui lui restait, on l'a pris pour un idiot qui ne voit rien, ne sent rien, ne comprend rien. L'homme prend une hache non pas pour défendre sa poche,

mais pour défendre son humanité, oui, mon très cher
monsieur. Ceci explique donc pourquoi Sa Majesté
réprimanda les fonctionnaires qui, pour leur propre
confort et par pure vanité, au lieu d'alourdir la charge
progressivement, petit sac par petit sac, essayèrent de
la jeter de manière grossière, d'un seul coup, sur les
épaules des paysans. Ainsi, pour assurer un avenir paisible à l'Empire, Sa Vénérable Majesté demanda aux
fonctionnaires d'ajouter les sacs un par un, avec une
pause entre chacun, tout en surveillant, d'après
l'expression de son visage, si le paysan pouvait tenir
le coup, s'il était encore possible d'ajouter quelques
grammes ou s'il fallait le laisser souffler. Mon très cher
monsieur, c'est un art subtil, nécessitant un dosage
progressif, l'essentiel étant de ne pas s'y prendre d'un
coup, avec ses gros sabots, à l'aveuglette. Non, au
contraire il faut y mettre de la finesse, de la bienveillance, de la sollicitude, il convient de lire sur les
visages le moment propice où l'on peut ajouter un
petit quelque chose, celui où l'on peut resserrer
l'écrou et celui où l'on peut le desserrer. Ainsi, avec
le temps, une fois le sang absorbé par le sol et les
fumées dissipées par le vent, les fonctionnaires sui-
virent les consignes du monarque et recommencèrent
à augmenter les impôts, mais désormais en dosant
leurs augmentations, en les empaquetant dans de
petits sachets, gentiment, doucement, prudemment.
Et les paysans supportèrent tout, sans en prendre
ombrage.

**Z. S.-K. :**

Après le soulèvement dans la province de Gojam qui dévoila le visage furieux et implacable du peuple, traumatisa le Palais et terrorisa les hauts dignitaires – ils n'étaient d'ailleurs pas les seuls, car nous, les domestiques, nous avions aussi la chair de poule –, le destin me frappa d'un grand malheur : mon fils Hailu qui, pendant ces pénibles années, étudiait à l'université, se mit à penser. Oui, à penser. Or il faut que je vous explique, mon ami, que la pensée était, à cette époque, un handicap, voire une infirmité. Sa Sublimissime Majesté, dans son constant souci d'assurer le bien et le confort de ses sujets, ne ménageait aucun effort pour les protéger contre ce handicap et cette infirmité. Pourquoi devaient-ils, en effet, perdre un temps précieux qu'il valait mieux consacrer au Développement ? Pourquoi troubler sa paix intérieure et se bourrer le crâne de toutes ses insanités ? Rien de convenable ni d'apaisant ne pouvait sortir de ces idées ou de la fréquentation irréfléchie et provocante de cercles pensants. Telle fut, malheureusement, l'imprudence commise par mon écervelé de fils. Mais grâce à son instinct maternel, mon épouse pressentit que notre maison était menacée par de lourds nuages. Un beau jour, elle me dit que Hailu avait dû se mettre à penser, car il avait triste mine. Il est vrai que ceux qui observaient la vie dans l'Empire et réfléchissaient à ce qui se passait autour d'eux avaient l'air morose et concentré, le regard inquiet, comme s'ils avaient un pressentiment vague et indicible. Le plus souvent, on voyait ces tristes figures parmi les étudiants, qui – il faut l'ajouter – causaient à Sa Majesté de plus en plus de misères. Je suis sidéré à l'idée que la police n'ait jamais fait d'investigations sur le lien entre la pensée et l'humeur. Si elle avait découvert à temps cette relation, elle aurait pu facilement neutraliser les penseurs dont je viens de parler, qui, par leur attitude négative, leurs revendications et leur maligne indolence à se montrer satisfaits, accablèrent la tête de Sa Vénérable Majesté de moult tracas et soucis. Toutefois, l'Empereur, qui avait l'esprit bien plus vif que ses policiers, comprenait que la tristesse peut inciter à la réflexion, à la contestation, aux sifflets, au désordre. C'est la raison pour laquelle il ordonna d'organiser dans l'Empire des distractions, des divertissements, des bals et des mascarades. Sa Noble Majesté fit même illuminer le Palais. Elle offrait des banquets aux pauvres, les encourageait à faire la fête. Repus de nourriture et de danses, ils louaient Sa Majesté. Cela dura des années. Ces amusements les accaparaient à tel point que, quand ils se rencontraient, ils n'avaient que ce sujet à la bouche : tordus de rire, ils se rappelaient diverses réjouissances, se racontaient des blagues. « Envoyez la musique ! On est pouilleux mais joyeux, miséreux mais radieux ! » Voyant la vie se ternir, se réduire, moisir autour d'eux, seuls les penseurs n'avaient ni le cœur ni la tête à la fête. Ils exhortaient les autres à penser. Mais les autres, même s'ils ne pensaient pas, étaient plus intelligents, ils ne se laissaient pas entraîner.

Tandis que les étudiants débattaient et se rassemblaient, eux se bouchaient les oreilles et filaient à l'anglaise. En effet, à quoi bon savoir s'il vaut mieux ignorer ? À quoi bon se compliquer l'existence si elle peut être facile ? À quoi bon bavarder s'il est bien de se taire ? À quoi bon se mêler de politique quand il y a tant de ménage et de courses à faire pour la maison ? Alors, mon cher ami, voyant dans quelle dangereuse galère mon fils était en train de se faire embarquer, j'ai tenté de le dissuader, de le détourner, de l'encourager à se distraire, de l'envoyer en excursion. J'aurais même préféré qu'il fasse la noce plutôt que de se consacrer à ces damnés complots et à ces maudites manifestations. Imaginez-vous un peu le chagrin, la dépression d'un père à l'idée qu'il est au Palais alors que son fils est à l'anti-Palais, qu'il peut sortir dans la rue sous la protection d'une police opposée à son propre enfant qui lui, manifeste et lance des pierres. J'ai dit à Hailu : « Laisse tomber la pensée ! Elle ne te mènera à rien. Arrête de réfléchir et fais la fête ! Regarde un peu les autres qui écoutent la voix de la sagesse. Ils ont l'air serein, leur visage n'est pas ombrageux, ils s'amusent comme des fous, ils se défoulent dans les divertissements. Leur seul souci est de s'en mettre plein les poches. Sa Majesté encourage ce genre de préoccupations. Elle n'a de cesse de soulager et de faciliter la vie de sujets frivoles. » « Mais comment peut-on écouter la voix de la sagesse et ne pas penser ? Si on ne réfléchit pas, on ne peut pas être sage », me répliqua Hailu. Et moi de lui expliquer :

« Justement, on est sage, seulement on a placé sa pensée dans un lieu sûr, reculé, abrité, et non pas entre les meules assourdissantes et redoutables d'un moulin. Sa pensée, on l'a tellement tassée et aplatie qu'elle ne peut heurter ni blesser personne. On finit même par oublier où on l'a fourrée et on apprend à vivre sans elle. » Peine perdue ! Hailu vivait déjà dans un autre univers, car à cette époque, l'université, qui était située près du Palais s'était transformée en véritable anti-Palais, et seuls les braves osaient s'y aventurer. L'espace entre la cour et l'établissement supérieur rappelait de plus en plus un champ de bataille où le destin de l'Empire allait être scellé.

*Z. S.-K. revient aux événements de décembre lorsque le commandant de la garde impériale, Mengistu Neway, alla à l'université pour montrer aux étudiants un quignon de pain sec dont les rebelles nourrissaient les proches du monarque. Ce fut un choc que les étudiants n'oublièrent jamais : l'un des officiers les plus sûrs de Hailé Sélassié leur présentait l'Empereur – une divinité, un être surnaturel – comme un homme qui tolérait la corruption au Palais, défendait un système archaïque et fermait les yeux sur la misère de millions de sujets. À partir de ce jour, la lutte commença, et l'université ne connut plus la paix. Entre le Palais et l'université s'instaura un conflit tumultueux qui dura près de quatorze ans, engloutissant des* dizaines de victimes et se terminant par la destitution de l'Empereur. À cette époque, il existait deux images de Hailé Sélassié : la première, celle de l'opinion internationale, présentait l'Empereur comme un monarque exotique mais efficace, doué d'une énergie inépuisable, d'un esprit vif et d'une sensibilité profonde, qui avait tenu tête à Mussolini puis avait récupéré son Empire et son trône, nourrissait l'ambition de développer son État et de jouer un rôle important sur la scène internationale. Le second — formé progressivement par une partie de l'opinion éthiopienne, critique et au début minoritaire — présentait le monarque comme un souverain décidé à défendre son pouvoir coûte que coûte, et surtout comme un immense démagogue, un paternaliste doué du sens du spectacle qui, par ses gestes et ses mots, masquait la vénalité, la stupidité et la servilité de l'élite régnante, créée et adorée par lui. Ces deux images étaient, du reste, également vraies comme cela arrive souvent dans la vie. Hailé Sélassié avait une personnalité complexe. Pour les uns, il était plein de charme ; pour les autres, il suscitait la haine. Les uns l'adoraient, les autres les maudissaient. Il dirigeait un pays où prévalaient les méthodes les plus cruelles pour prendre le pouvoir (ou pour le conserver), où le poignard et le poison tenaient lieu d'élections libres, où les exécutions et le gibet remplaçaient le débat. Produit de cette tradition, il en usait habilement. Mais en même temps, il comprenait que son pays se trouvait dans une impasse, qu'il était coupé du monde moderne. Il ne pouvait pas changer le système qui le maintenait au

*pouvoir, or le pouvoir était ce qui comptait le plus
pour lui. D'où ses fuites dans la démagogie, le cérémo-
nial, ses discours sur le Développement, vides et creux
dans un pays ravagé par la misère et l'obscurantisme.
C'était un personnage très sympathique, un homme
politique perspicace, un père tragique, un avare patho-
logique. Il condamnait à mort les innocents, graciait
les coupables. Caprices du pouvoir, labyrinthes de la
politique de Palais, ambiguïtés, ténèbres impé-
nétrables.*

**Z. S.-K. :**

Juste après l'insurrection de la province de Gojam,
le prince Kassa voulut réunir des étudiants loyaux et
organiser une manifestation de soutien à l'Empereur.
Tout était prêt, les portraits et les banderoles, lorsque
Sa Magnanime Majesté en fut informé. Elle réprimanda sévèrement le prince. Il ne pouvait être question d'aucune manifestation. On commence par un
soutien et on finit par des injures ! On commence par
des ovations et on finit par des coups de feu. Une fois
de plus, mon cher ami, Notre Vénérable Souverain
Tout-Puissant fit preuve d'une perspicacité étonnante.
Dans la confusion générale, il ne fut pas possible
d'annuler la manifestation. Lorsque le cortège de soutien s'ébranla, composé de policiers déguisés en étudiants, une foule immense d'étudiants révoltés le
rejoignit et la sinistre cohue se dirigea vers le Palais.

Il n'y avait pas d'autre solution que de faire appel à l'armée pour restaurer l'ordre. Dans un affrontement malheureux qui se solda par une effusion de sang, le leader des étudiants, Tilahun Gizaw, perdit la vie. Cruelle ironie du sort, plusieurs policiers, totalement innocents du reste, périrent également ! Je me souviens que c'était la fin du mois de décembre 1969. Le lendemain, je vécus une journée, ô combien terrible, car Hailu et tous ses camarades allèrent à l'enterrement. Une telle foule était agglutinée autour du cercueil que la cérémonie dégénéra, une fois de plus, en manifestation. Comme il n'était plus possible de tolérer cette agitation et ces troubles dans la capitale, Sa Magnanime Majesté dépêcha des blindés et fit rétablir l'ordre de la manière la plus catégorique. Cette rigueur excessive causa la mort de plus de deux cents étudiants, sans compter les blessés et les personnes arrêtées. Sa Majesté ordonna la fermeture de l'université pour un an, décision qui sauva la vie à de nombreux jeunes, car s'ils avaient poursuivi leurs études, leurs réunions et leurs assauts du Palais, le monarque aurait été de nouveau contraint de répondre par la matraque, les coups de feu et une mer de sang.

— L'effondrement —

Il est curieux de voir dans quelle sécurité étrange vivaient tous ceux qui occupaient les étages supérieurs et moyens de l'édifice social au moment même où la Révolution commençait, et de les entendre discourant ingénieusement entre eux sur les vertus du peuple, sur sa douceur, son dévouement, ses innocents plaisirs, quand déjà 93 est sous leurs pieds : spectacle ridicule et terrible !

Alexis de Tocqueville,
*L'Ancien Régime et la Révolution*

Il demeurait quelque chose d'invisible, un esprit de perdition puissant, tapi comme une âme maléfique dans un corps détestable.

Joseph Conrad, *Lord Jim*

Certains courtisans de Justinien qui restèrent au Palais avec lui jusqu'à la dernière heure avaient l'impression de voir un spectre. L'un d'eux raconta même que l'Empereur aurait brusquement quitté son trône pour se mettre à arpenter la salle (il ne tenait effectivement pas en place) ; soudain, la tête de Justinien aurait disparu tandis que son corps continuait d'avancer. Croyant avoir la berlue, le courtisan resta un moment troublé et désemparé, mais la tête étant revenue sur le buste, il constata avec stupéfaction qu'il avait de nouveau sous les yeux ce qui venait de disparaître.

Procope, *Histoire secrète*

Puis, pose-toi la question : qu'en reste-t-il ? De la fumée, des cendres, une fable. Pas même une fable peut-être.

Marc-Aurèle, *Pensées pour moi-même*

Nul n'a de bougie qui se consume jusqu'à l'aube.

I. Andrić, *La Chronique de Travnik.*

**M. S. :**

J'ai été longtemps au service de Sa Très Singulière
Majesté comme artificier du Palais. Je plaçais le mor-
tier à proximité de l'endroit ou Notre Bienveillant
Monarque offrait des banquets aux miséreux affamés.
Quand les agapes prenaient fin, j'envoyais en l'air une
série de projectiles qui, en explosant, dégageaient un
bouquet coloré retombant doucement au sol en une
pluie de mouchoirs à l'effigie de l'Empereur. Les gens
se précipitaient, se bousculaient, tendaient les mains,
chacun voulant revenir à la maison avec un portrait
de Sa Majesté tombé miraculeusement du ciel.

**A. A. :**

Mon ami, personne, vraiment personne, ne sentait
la fin approcher. Ou plutôt, dans l'air planaient un

pressentiment, une inquiétude, si vagues et si flous que personne ne s'attendait vraiment à un bouleversement. Depuis quelque temps, pourtant, un valet de chambre circulait dans le Palais, éteignant les lumières à gauche et à droite. Mais l'œil finissait par s'accommoder à cette semi-obscurité, ce demi-jour, cette lumière crépusculaire qui nous procurait un sentiment de confort intérieur. De surcroît, l'Empire était gangrené par des troubles et des scandales qui rongeaient le Palais, plus particulièrement notre ministre de l'Information, Tesfaye Gebre-Egzy, fusillé par la suite par les rebelles au pouvoir aujourd'hui. Tout commença par l'arrivée, en 1973, d'un journaliste de la télévision londonienne, un certain Jonathan Dimbleby. Ce dernier avait naguère séjourné dans l'Empire pour y tourner des films élogieux sur notre souverain. Aussi, personne ne se doutait qu'un reporter qui commence par flatter va ensuite blâmer. Telle est, manifestement, la nature scélérate de cette engeance sans foi ni loi. Toujours est-il que cette fois, Dimbleby, au lieu de montrer comment Sa Majesté se préoccupait du Développement et se souciait du bonheur des petites gens, s'en alla traîner dans le nord du pays d'où il revint, semble-t-il, perturbé et ébranlé, pour regagner aussitôt l'Angleterre. À peine un mois plus tard, notre ambassade nous fit parvenir un rapport selon lequel monsieur Dimbleby avait présenté à la télévision londonienne un film intitulé *La Famine cachée*, dans lequel ce calomniateur sans principes réussissait le tour de force démagogique de montrer des milliers de

gens mourant de faim tandis qu'à leurs côtés, Sa
Vénérable Majesté festoyait avec des dignitaires. Puis,
il montrait des routes où gisaient des dizaines de
crève-la-faim squelettiques, et juste après, nos avions
qui importaient d'Europe champagne et caviar. Ici,
des champs de pauvres hères faméliques ; là-bas Notre
Monarque distribuant à ses chiens de la viande dans
un plat en argent. Des plans alternant abondance et
misère, richesse et désespoir, corruption et mort. Pour
couronner le tout, monsieur Dimbleby déclarait que
cette famine catastrophique avait déjà entraîné la
mort de cent à deux cent mille hommes et que le
nombre de victimes risquait de doubler à très court
terme. Le rapport de l'ambassade se terminait sur le
vif émoi suscité par le film en Angleterre : le Parlement avait été interpellé, la presse sonnait l'alarme et
condamnait Sa Noble Majesté. Vous avez là, mon
ami, un témoignage de l'irresponsabilité de la presse
étrangère qui, après avoir loué Notre Monarque pendant des années à l'instar de monsieur Dimbleby, se
mettait soudain, sans rime ni raison, à le condamner.
Pourquoi donc ? Pourquoi une telle traîtrise et une
telle immoralité ? Notre ambassade nous informait
ensuite que de Londres venait de décoller un avion
bourré de correspondants européens désireux de voir
la famine meurtrière, de connaître notre réalité et de
contrôler ce qu'il advenait de l'argent donné par
divers gouvernements à Sa Vénérable Majesté pour
développer le pays, rattraper le retard et dépasser tout le
monde. Bref, une ingérence dans les affaires intérieures

de l'Empire ! Le Palais était indigné, outré, scandalisé, mais Son Exceptionnelle Majesté nous invitait à garder notre calme et à faire preuve de retenue. Nous attendions les décisions suprêmes. Des voix s'élevèrent pour exiger le renvoi de l'ambassadeur pour cause de dénonciations calomnieuses, alarmistes et perturbatrices. Le ministre des Affaires étrangères argua que cette révocation risquait de semer la terreur parmi les ambassadeurs en poste ailleurs et de les dissuader de faire le moindre rapport. Or Sa Noble Majesté devait savoir ce qu'on disait d'elle dans les quatre coins du monde. Ce fut ensuite au tour des membres du Conseil de la couronne de donner leur avis : ils exigeaient que l'avion avec les journalistes fasse demi-tour et que toute cette racaille blasphématoire soit déclarée *persona non grata* dans l'Empire. C'est insensé, rétorqua le ministre de l'Information, leurs cris n'en seront que plus forts et leur véhémence à condamner Sa Vénérable Majesté plus virulente. De délibération en délibération, on décida de proposer à Sa Gracieuse Majesté la solution suivante : laisser entrer les journalistes mais démentir. Autrement dit nier la famine ! Les retenir à Addis-Abeba, leur montrer le Développement et ne les autoriser à écrire que sur des sujets autorisés dans nos journaux. Car notre presse, mon cher ami, était loyale, je dirai même qu'elle était d'une loyauté exemplaire. Pour être honnête, nous n'avions pas beaucoup de journaux – vingt-cinq mille exemplaires hebdomadaires pour trente et quelque millions de sujets. Sa Majesté s'en

tenait au principe que même la presse la plus loyale
ne doit pas être largement diffusée, car cela peut
donner aux gens le réflexe de la lecture. De là, il n'y
a qu'un pas pour qu'ils attrapent le réflexe de la
réflexion. Or nul n'ignore à quel point la pensée est
génératrice de désagréments, de tracas, de soucis et de
peines. En effet, il peut advenir qu'un article soit écrit
en toute loyauté mais qu'il soit lu de manière
déloyale. On commence à lire une chose loyale et
après, on a envie d'en lire une déloyale. Ainsi, on
s'engage dans une voie qui éloigne du trône, détourne
du Développement, mène à la subversion. Non, non,
et non ! Sa Majesté ne pouvait tolérer une telle aberra-
tion, un tel égarement. C'est la raison pour laquelle
elle n'était pas enthousiaste des lectures excessives.
Puis, nous avons été littéralement envahis par les correspondants étrangers. Je me souviens que juste après
leur arrivée eut lieu une conférence de presse. « Qu'en
est-il de la famine meurtrière ? » demandèrent-ils. « Je
ne suis absolument pas au courant », répondit le
ministre de l'Information. Je reconnais, mon ami,
qu'il n'était pas loin de la vérité. Premièrement,
depuis des siècles, la famine était un phénomène quotidien et naturel dans notre Empire. Personne n'avait
jamais eu l'idée d'en faire toute une affaire. De
manière cyclique, la sécheresse sévissait, la terre
séchait, le bétail crevait, les paysans mouraient ; c'était
l'ordre des choses, naturel et éternel. Jamais aucun
notable n'aurait osé importuner Sa Très Haute Majesté
avec des nouvelles de la famine dans ses provinces.

Certes, Sa Vénérable Majesté visitait le pays, mais ce n'était pas dans ses habitudes de s'arrêter dans les régions pauvres où la famine faisait rage. D'ailleurs que peut-on voir au cours de visites officielles ? Les hommes du Palais ne se déplaçaient pas non plus en province, car il leur suffisait de quitter le Palais pour que les cancans et les délations fusent dans leur dos, et une fois revenus, ils s'apercevaient que leurs ennemis les avaient pratiquement jetés sur le pavé. Comment aurions-nous pu savoir que le nord du pays était dévasté par une famine impitoyable ? « Pouvons-nous y aller ? » demandèrent les correspondants. « C'est impossible, expliqua le ministre, car les chemins sont infestés de brigands. » Encore une fois, je dois dire qu'il n'était pas loin de la vérité, car des rapports récents faisaient état de la recrudescence, dans l'Empire, de bandes armées à l'affût au bord des routes. Après cette déclaration, le ministre les emmena en excursion dans la capitale où il leur fit visiter des usines tout en faisant la louange du Développement. Mais qu'est-ce que vous croyez ! Ils ne voulaient pas en entendre parler, ils réclamaient la famine à cor et à cri, il n'y avait qu'elle qui les intéressait ! « Pas question ! poursuivit le ministre, vous n'aurez pas la famine ! D'ailleurs comment peut-il y avoir famine s'il y a Développement ? » Là-dessus, mon ami, se greffa une autre histoire : nos étudiants rebelles envoyèrent leurs délégués dans le nord d'où ils revinrent avec des photographies et des récits abominables sur la population qui mourait de faim. En douce, par derrière, en catimini, ils racontèrent tout aux correspondants. Un scandale éclata, il n'était plus possible de nier la famine. De nouveau, les correspondants passèrent à l'attaque, brandirent des photos, interpellèrent le gouvernement sur sa gestion de la famine. « Sa Suprême Majesté accorde à cette affaire la plus grande attention », leur répondit le ministre. « Mais concrètement ! Concrètement ! » rugirent ces voyous diaboliques et irrespectueux. « Sa Majesté vous informera en temps voulu des décisions, décrets, directives impériales, car ce n'est pas aux ministres de régler le problème », répondit tranquillement le ministre. Pour finir, les correspondants quittèrent le pays sans avoir vu le bout du nez de la famine. Pour le ministre, le règlement de la crise s'était déroulé dans le calme et la dignité et son dénouement était un succès. La presse souligna cette victoire. Il y avait toujours un ministre pour dire que tout marchait comme sur des roulettes, fort heureusement. Mais nous, nous redoutions – si le ministre venait à disparaître – de n'avoir plus que nos yeux pour pleurer. Nos pressentiments ne tardèrent pas à se vérifier lorsque le destin nous priva de sa présence. Entre nous soit dit, mon cher monsieur, il n'est pas mauvais d'amaigrir et d'affamer le peuple pour le maintien de l'ordre public et de la soumission nationale. Notre religion ne préconise-t-elle pas un jeûne strict pendant la moitié de l'année ? Toujours selon ce commandement, celui qui rompt le jeûne commet un péché mortel et empeste déjà le soufre de l'enfer. Pendant les jours de jeûne,

on ne peut pas manger plus d'une fois par jour, et
rien d'autre qu'un morceau de pain azyme avec des
épices. Pourquoi nos ancêtres nous ont-ils imposé des
règles aussi austères ? Pourquoi devons-nous constamment mortifier notre chair ? Pour la simple et bonne
raison que l'homme est une créature foncièrement
mauvaise qui prend un malin plaisir à succomber aux
tentations, surtout à celles de l'insubordination, de la
concupiscence et de la luxure. Deux vices corrompent
l'âme humaine, l'agressivité et le mensonge. Si on
empêche l'homme de faire du tort aux autres, il se
fera du tort à lui-même, s'il n'a personne à qui mentir,
il se mentira à lui-même. Un proverbe dit que le pain
du mensonge est doux à l'homme et qu'après, sa bouche
se remplit de sable. Comment corriger la nature
humaine qui est foncièrement mauvaise ? Comment la
brider ? Comment la dompter ? Comment neutraliser
cette bête ? Comment la maîtriser ? Il n'existe qu'un
seul moyen, mon ami : en l'affaiblissant. Et oui, il
faut lui ôter ses forces, car une fois fragilisée, elle ne
pourra plus faire le mal. C'est là, justement, le rôle
du jeûne ; la fringale prive l'homme de ses forces.
Telle est la philosophie amhara, que nos pères nous
ont transmise. L'expérience vient d'ailleurs confirmer
cette règle. Un homme affamé durant toute son existence ne se révoltera jamais. Au nord, il n'y a jamais
eu une seule insurrection. Personne n'y a jamais levé
la voix ni la main. En revanche, dès qu'un sujet
mange à sa faim, il se révolte si on tente de lui
confisquer sa gamelle. Le côté positif de la famine,

c'est que l'affamé est obsédé par son ventre creux, il est obnubilé par la nourriture, il ne gaspille pas le peu de forces qui lui restent que pour manger. Il n'a pas la tête au plaisir, il ne succombe pas à la tentation de la désobéissance. Vous n'avez qu'à voir : qui a détruit notre Empire ? Qui l'a réduit en poussière ? Ce ne sont ni les nantis ni les démunis, mais ceux qui possédaient un peu. Eh oui, il faut toujours se méfier de ces derniers, car ce sont les pires, les plus cupides, les plus séditieux.

**Z. S.-K. :**

La déloyauté des gouvernements européens qui laissèrent Mr Dimbleby et compagnie faire tout ce tapage sur la famine suscita le mécontentement, la désapprobation et l'indignation du Palais. Une partie des dignitaires soutenait la thèse du démenti, mais cette position était intenable puisque le ministre en personne avait informé les correspondants que Sa Toute Souveraine Majesté accordait une importance capitale à la famine. Il ne nous restait plus qu'à nous engager sur une nouvelle voie et à accepter l'aide extérieure. Puisque nous étions démunis, les autres n'avaient qu'à nous porter secours. Les bonnes nouvelles ne tardèrent pas à affluer. Des avions chargés de blé, des navires bourrés de farine et de sucre arrivèrent dans le pays. On vit aussi débarquer des médecins, des missionnaires, des délégués d'organisations humanitaires, des étudiants d'universités étrangères ainsi que des correspondants déguisés en infirmiers. Cette foule submergea le nord du pays, notamment les provinces du Tigre et du Wollo, mais aussi l'ouest, l'Ogaden, où des rumeurs circulaient sur des tribus entières décimées par la faim. L'Empire fut pris dans un tourbillon international ! Je dois avouer que cette effervescence ne suscitait pas une immense satisfaction au Palais, car il n'est jamais bon de laisser entrer tant d'étrangers chez soi. Ils se mêlent de tout et en plus critiquent tout. Sachez, monsieur Richard, que les craintes des dignitaires ne furent guère déçues. Une fois que les missionnaires, les médecins et les infirmiers – ces derniers étant, comme je l'ai dit, des correspondants déguisés – furent arrivés dans le nord, ils n'en crurent pas leurs yeux : ils virent des milliers de gens mourant de faim à côté de marchés et d'entrepôts croulant sous la nourriture. « Il y a de quoi manger ! répétaient-ils, mais comme la récolte a été mauvaise, les paysans ont dû tout livrer à leurs maîtres et il ne leur est rien resté. Les spéculateurs en ont profité pour faire grimper les prix si haut que presque plus personne ne peut acheter ne serait-ce qu'une poignée de blé. Telle est la cause de cette terrible misère. » C'était mauvais, monsieur Richard, car les spéculateurs en question n'étaient autres que nos notables. Or comment traiter de spéculateurs les représentants officiels de sa Noble Majesté ? Un officiel qui spécule ? Non, non et non, il était impossible de dire une chose pareille ! Aussi, lorsque le cri des missionnaires et des infirmiers atteignit la capitale, des voix s'élevèrent aussitôt dans les Palais pour renvoyer illico de l'Empire cette cohorte de bienfaiteurs et de philosophes. « Comment les mettre à la porte ? » demandaient certains. On ne peut pas interrompre les mesures de lutte contre la famine puisque Sa Bienveillante Majesté y accorde une attention toute particulière ! De nouveau, on ne savait plus que faire. Renvoyer tout ce beau monde chez lui, ce n'était pas bien. Le laisser agir, ce n'était pas bien non plus. Une pénible incertitude et un flou désagréable flottaient dans l'air, quand soudain, un nouveau coup de foudre éclata. Voilà que les infirmiers et les missionnaires se mirent à faire un raffut infernal à propos du transport de la farine et du sucre qui, prétendaient-ils, n'arrivait pas jusqu'aux populations affamées. L'aide humanitaire était subtilisée en cours de route ! Il fallait trouver les responsables de ces disparitions. De leur propre chef, ils se mirent alors à fouiner, à fourrer leur nez partout, à s'ingérer dans nos affaires intérieures ! Et il apparut que des spéculateurs avaient détourné des cargaisons entières en direction de leurs entrepôts, qu'ils avaient fait monter les prix et s'en étaient mis plein les poches. Il est difficile aujourd'hui de dire comment le pot aux roses fut découvert, mais il dut y avoir des fuites. Il était convenu que l'Empire acceptait l'aide étrangère et se chargeait de la distribuer. Personne n'avait à savoir où allaient la farine et le sucre, c'était une affaire strictement intérieure. Résultat : nos étudiants s'insurgèrent, sortirent dans la rue, manifestèrent, dénonçèrent la corruption, exigèrent que les coupables soient jugés. « Honte ! Infamie ! » hurlaient-ils en proclamant la mort de l'Empire. La police matraquait, arrêtait. Agitation, effervescence. Pendant ces journées, monsieur Richard, mon fils, Hailu, était rarement à la maison. L'université était ouvertement en état de guerre contre le Palais. Tout démarra avec une affaire anodine, un événement dérisoire, une bricole si insignifiante, pour ne pas dire nulle, qu'elle aurait pu passer inaperçue. Mais dans la vie, il y a des moments où le moindre incident, la bagatelle la plus ridicule, la bêtise la plus infime peut provoquer une révolution ou déclencher une guerre. Il avait raison, notre commandant de la police, le général Yilma Shibeshi, quand il nous conseillait de chercher dans tous les trous, de fouiller sans trêve ni repos, de ne jamais relâcher notre vigilance, de ne jamais négliger le principe selon lequel il faut éradiquer sur-le-champ le moindre germe, sans jamais lui permettre de pousser. Mais le général cherchait sans rien trouver. L'événement futile qui mit le feu aux poudres, ce fut un défilé de mode organisé à l'université par l'American Peace Corps alors que tous les rassemblements, tous les meetings étaient rigoureusement interdits. Son Éminente Majesté ne pouvait tout de même pas refuser aux Américains cette revue de mode. Les étudiants se servirent de cette manifestation pacifique et frivole pour réunir une immense foule et se ruer sur le Palais. À partir de là, il devint impossible de les refouler chez eux, ils se rassemblaient, se déchaînaient, ne reculaient plus d'un pas. Quant au général

Shibeshi, il s'arrachait les cheveux, car jamais il n'aurait imaginé qu'une révolution pût démarrer avec un défilé de mode ! Voilà où en étaient les choses. « Père, me dit Hailu, c'est le début de la fin ! Nous ne pouvons plus continuer à vivre ainsi. Nous sommes couverts de honte. Les morts au nord du pays et les mensonges de la Cour nous ont couverts d'infamie. Notre patrie est noyée dans la corruption, le peuple meurt de faim, partout ce n'est qu'obscurantisme et barbarie. Nous avons honte de notre pays, il nous déshonore. Mais comme nous n'en avons pas d'autre, nous devons le sortir de la boue. Votre Palais nous a compromis aux yeux du monde entier et il ne peut exister plus long-temps. Nous savons que l'armée est en proie à des troubles, la ville aussi. Nous ne pouvons plus faire marche arrière. Nous ne pouvons plus supporter cette ignominie. » Eh oui, monsieur Richard, ces jeunes gens au cœur noble mais à la tête écervelée éprouvaient un profond sentiment de honte pour leur patrie. Ils avaient les yeux rivés sur le XX$^e$ ou peut-être même le XXI$^e$ siècle, où règneraient la justice qu'ils appelaient de leurs vœux. Tout le reste les ennuyait, les irritait. Ils ne voyaient pas autour d'eux ce qu'ils auraient voulu voir. Ils avaient donc décidé de changer le monde afin de pouvoir le regarder en face sans honte. Ah monsieur Richard ! Il faut bien que jeunesse se passe…

T. L. :

Au beau milieu de la famine, des clameurs des mis-sionnaires et des infirmiers, des émeutes et des meetings d'étudiants, des matraquages de la police, Sa Majesté partit en visite dans l'Érythrée où elle fut reçue par son petit-fils, le commandant de la flotte Eskinder Desta. L'Empereur envisageait de faire une croisière sur le vaisseau amiral *L'Éthiopie*, mais comme seul un moteur était en état de marche, il fallut renoncer au projet. Il monta alors sur le navire français *Protet*. Il fut reçu à bord par le célèbre amiral Hiele. Le lendemain, dans le port de Massawa, Son Ineffable Majesté profita de sa visite pour s'élever à la dignité de Grand Amiral de la flotte impériale et pour nommer sept cadets officiers de marine afin d'augmenter notre puissance maritime. Les malheureux notables du nord, suspectés de spéculation et d'enrichissement sur le dos des crève-la-faim par les missionnaires et les infirmiers, furent aussi promus à des grades supérieurs par Sa Majesté, qui prouva ainsi leur innocence et mit un frein aux ragots et calomnies circulant à l'étranger. Apparemment, tout allait bien, le Développement se poursuivait dans le bonheur, l'harmonie et la loyauté, l'Empire grandissait et s'épanouissait, comme le soulignait Sa Majesté, quand subitement, elle fut informée que nos bienfaiteurs d'outre-mer, qui avaient pris en charge la tâche ingrate de nourrir notre peuple insatiable, décidèrent soudain de suspendre les livraisons sous prétexte que notre ministre des Finances, Yelma Deresa, les avait sommés de payer de lourdes taxes douanières afin d'enrichir le Trésor impérial. « Si vous voulez nous aider, leur avait dit le ministre, aidez-nous ! Mais vous devez payer ! » Et eux de répondre :

« Comment ça ? Nous devons payer pour l'aide que
nous vous accordons ? » « Eh oui ! C'est le règlement.
Il faut bien que notre Empire s'y retrouve ! » Solidaire
du ministre, notre presse leva le ton et reprocha aux
bienfaiteurs contestataires de suspendre l'aide humanitaire et par là même de condamner notre peuple à une
cruelle misère et à une famine meurtrière, de contra-
rier l'Empereur et de s'ingérer dans les affaires intérieures du pays. Sur ces entrefaites, mon ami, une
rumeur se mit à circuler selon laquelle la famine aurait
déjà provoqué la mort d'un demi-million de personnes, catastrophe dont nos journaux s'empressèrent
d'imputer la honteuse responsabilité à ces indignes
missionnaires et infirmiers. Là-dessus, notre ministre
de l'Information, Monsieur Gebre-Egzy, estima que la
manœuvre consistant à traiter les altruistes étrangers
de gaspilleurs et d'affameurs était un réel succès. Tous
nos journaux confirmèrent en chœur cette victoire
nouvelle. Tandis que l'information était largement diffusée, Sa Noble Majesté quitta le bord hospitalier du
vaisseau français et revint à la capitale où elle fut,
comme de coutume, accueillie avec gratitude et humilité. Je peux me permettre de dire aujourd'hui qu'on
sentait un certain flou, une ambiguïté indicible dans
cette attitude que je qualifierais de docile indocilité.
Car cette gratitude n'était guère manifestée avec
enthousiasme, elle était même plutôt modérée et réti-
cente. Certes, les gens rendaient grâce, mais on sentait,
dans leurs remerciements, une sorte de passivité, de
mollesse, de gratitude ingrate, dirais-je. Au passage du

cortège impérial, les sujets de Sa Majesté se proster-
naient, front contre terre, et comment ! Mais cela
n'avait rien à voir avec les prosternations d'antan !
Jadis, mon ami, on s'étalait à plat ventre, à en perdre
conscience, le visage dans la poussière, on se roulait
dans la boue, on tremblait, on frémissait au sol, tout
le bas peuple s'anéantissait, tendait les mains, implorait la pitié. Alors que là, les gens, certes, tombaient,
mais leur chute était sans vie, endormie, contrainte,
mécanique, ils tombaient pour avoir la paix, lentement,
paresseusement, bref, ils tombaient à contrecœur. C'est
cela, à contrecœur, malgré soi, en faisant la grimace. Ils
tombaient, mais intérieurement ils restaient debout ; ils
étaient couchés, mais en pensée ils restaient assis ; ils
étaient humbles et soumis mais au fond, leurs cœurs se
rebellaient. Personne, toutefois, n'y prêta attention
dans la suite impériale. Si cette indolence, cette mollesse, cette nonchalance avaient été remarquées, personne n'en aurait touché mot, car l'expression du
moindre doute était malvenue au Palais. Il faut dire
aussi que les dignitaires étaient débordés, et quand un
sujet était en proie au doute, tout le monde devait
délaisser ses activités et se mettre en quatre pour dissi-
per et écarter les doutes du sceptique afin de le rasséré-
ner et le réconforter. De retour au Palais, Sa Noble
Majesté reçut le rapport du ministre du Commerce,
Ketem Yfru, qui accusait le ministre des Finances
d'avoir lourdement taxé l'aide humanitaire et par voie
de conséquence de l'avoir suspendue au détriment des
victimes de la famine. Toutefois, Notre Souverain

tout-puissant se garda bien de réprimander Yelma Deresa. On pouvait même lire une certaine satisfaction sur son visage, car Sa Majesté avait toujours vu d'un mauvais œil cette aide humanitaire à cause de toute la publicité qui l'avait accompagnée, des soupirs de désapprobation, des hochements de tête critiques qu'elle avait suscités et qui ternissaient la superbe image de l'Empire. Le pays progressait paisiblement sur la voie du Développement, il rattrapait son retard et prenait même la tête du peloton, c'était déjà bien. Dès lors, plus aucune aide ni donation n'étaient nécessaires, et le seul fait que Sa Munificente Majesté accordât une attention spéciale au sort des crève-la-faim était en soi suffisant. C'était déjà une marque de déférence particulière, exceptionnelle même. Elle permettait de donner aux sujets de l'Empire l'espoir apaisant et réconfortant que si leur destin devait les exposer à un malheur ou à des difficultés, Sa Très Ineffable Majesté leur apporterait le réconfort nécessaire par le simple fait d'y accorder une attention toute particulière.

D. :

La dernière année ! Qui pouvait alors prévoir que cette année 1974 serait la dernière ? Bien sûr, on sentait un flou, une impuissance triste et trouble, une réticence même, et dans l'air une lourdeur, une nervosité, une mollesse. Tantôt nous étions plongés dans l'obscurité, tantôt nous étions éblouis par la lumière. Mais

comment avons-nous pu sombrer si vite, si brusquement dans le gouffre ? D'un coup, d'un seul, hop !
Fini, plus de Palais ! Vous avez beau le chercher, il est
introuvable. Vous posez des questions, personne ne
vous dit où il est. Tout a commencé... Le problème
c'est qu'il y eut tellement de commencements sans
aboutissements, tellement de débuts sans achèvements,
de faux départs, d'amorces interminables, que nos
âmes finirent par s'habituer. Nous pensions que nous
nous en sortirions toujours, que nous nous en remet-
trions, que nous ne rendrions jamais ce que nous pos-
sédions, que nous survivrions au pire. Mais cette
accoutumance, au bout du compte, nous joua un
mauvais tour. En janvier de la même année, le général
Beleta Abebe se rendit en inspection dans la région
de l'Ogaden et fit une halte dans la caserne de Gode.
Le lendemain, un rapport inouï informa le Palais que
le général avait été arrêté par ses soldats, qui l'avaient
forcé à manger leur rata. Manifestement la nourriture
était si avariée que le général passa à deux doigts de
la mort. L'Empereur envoya sur place l'unité aéroportée de la garde impériale qui libéra le général et
l'emmena à l'hôpital. Puis, mon bon monsieur, un
autre scandale fut alors sur le point d'éclater : Notre
Vénérable Souverain tout-puissant, qui accordait une
attention particulière à l'heure de l'Armée et de la
Police et ne cessait d'augmenter le salaire des soldats
ainsi que le budget militaire, apprit soudain que
toutes ces augmentations étaient détournées par ces
messieurs les généraux. L'Empereur ne réprimanda

aucun général, mais en revanche, il ordonna de chasser et de disperser les soldats de la caserne de Gode. Après cet incident désobligeant, digne d'oubli et révélateur de l'insubordination régnant au sein de l'armée – la plus puissante de l'Afrique noire et la fierté de Sa Très Lumineuse Majesté –, il y eut un moment de répit, mais il fut bref, car un mois plus tard, un nouveau rapport arriva au Palais, ô combien renversant ! Cette fois, dans le sud de la province de Sidamo, c'étaient les soldats de la caserne de Negele, misérable bourg tropical, qui s'étaient mutiné et avaient arrêté les officiers supérieurs. En fait, les puits des soldats étaient à sec et les officiers avaient interdit à la troupe de puiser aux leurs. La soif lui fit perdre la tête et elle se révolta. Il aurait fallu envoyer là-bas l'unité aéroportée de la garde impériale pour mater la mutinerie. Mais n'oublions pas, mon cher monsieur, que ces incidents se passèrent pendant ce terrible et ô combien incompréhensible mois de février, alors que la capitale était elle-même balayée par une bourrasque si violente et subversive que tout le monde en oubliait les soldats indociles de la lointaine bourgade de Negele. Ces derniers réussirent à accéder aux puits des officiers et à boire leur eau. Mais l'urgence était avant tout d'écraser l'insurrection qui avait éclaté à proximité du Palais. Les raisons de l'agitation violente qui déferla dans les rues étaient tout à fait étonnantes : il avait suffi que le ministre du Commerce augmente le prix de l'essence pour que les taxis se mettent en grève. Le lendemain, ce fut au tour des instituteurs.

En même temps, les lycéens sortirent dans la rue, ils
attaquèrent et brûlèrent les autobus de la ville qui, je
vous le rappelle, étaient la propriété de Son Éminente
Majesté. La police tenta de dompter ces gamineries,
attrapa cinq lycéens et, pour s'amuser, leur fit dévaler
une pente raide en leur tirant dessus. Trois gamins
furent tués, deux grièvement blessés. Vint le jour du
jugement. Confusion, désespoir, insultes ! Pour sou-
tenir les lycéens, les étudiants organisèrent une manifestation. Au lieu de se consacrer assidûment et avec
reconnaissance à leurs études, ces jeunes gens ne pensaient qu'à fourrer leur nez partout et à tout saboter.
Ils se dirigèrent tout droit vers le Palais, la police
matraqua, ouvrit le feu, procéda à des arrestations,
lança les chiens, mais rien n'y fit. C'est à ce moment-
là que Son Aimable Majesté ordonna de renoncer à
l'augmentation du prix de l'essence afin de calmer les
esprits et de réconcilier tout le monde. Puis un rapport
aussi violent qu'un coup de tonnerre dans un ciel sans
nuages informa Sa Majesté que dans l'Érythrée, la 2e
division venait de se mutiner. C'était le bouquet, final
ou non ! Les soldats occupèrent Asmara après avoir
arrêté leur général, enfermé le gouverneur de la province et fait une déclaration impie à la radio. Ils réclamaient justice, exigeaient une augmentation de leur
solde et des obsèques humaines. La vie était dure,
monsieur, en Érythrée, car là-bas, l'armée se battait
contre les partisans, les gens mouraient par milliers. Ce
problème des obsèques existe depuis fort longtemps :
pour limiter les frais excessifs générés par la guerre, la

coutume veut que seuls les officiers aient droit à un enterrement digne de ce nom, le corps des simples soldats étant jetés aux hyènes et aux vautours. C'est cette disparité qui provoqua l'insurrection. Le lendemain, la marine rallia les rebelles tandis que son commandant, le petit-fils de l'Empereur, s'enfuit à Djibouti. Quelle pitié ! Un membre de la famille impériale obligé de sauver sa vie de manière aussi indigne et déshonorante ! Mais on ne pouvait plus stopper l'avalanche, monsieur, car le même jour, ce fut au tour de l'armée de l'air de se révolter. Des avions survolaient la ville et, d'après les rumeurs, lançaient des bombes. Le lendemain, vint le tour de notre plus importante division, la 4ᵉ, qui encercla la capitale, réclama une augmentation et exigea que les ministres et autres dignitaires soient jugés parce que, selon eux, c'étaient des créatures viles et corrompues qui méritaient d'être clouées au pilori. Bon ! Si la 4ᵉ division était en flammes, cela voulait dire que l'incendie allait bientôt gagner le Palais et qu'il fallait vite sauver les meubles. La même nuit, Son Aimable Majesté proclama une augmentation des soldes, demanda aux soldats de regagner les casernes, les exhorta au calme et à la tranquillité. Soucieuse d'améliorer l'image de la Cour, elle ordonna au Premier ministre Aklilu de démissionner avec tout le gouvernement, une décision qui dut coûter cher à Sa Majesté, car Aklilu était son grand favori et son proche confident bien qu'il fût généralement peu apprécié et critiqué. Sa Majesté

nomma au poste de Premier ministre le dignitaire
Endelkachew, qui passait pour une personnalité libérale, éduquée et ayant, par ailleurs, l'art de tourner
ses phrases.

**N. L. E. :**

À l'époque, j'occupais les fonctions d'employé
titulaire au département des Comptes près le grand
chambellan de la cour. Suite au changement de gouvernement, nous étions écrasés de travail, car notre
bureau devait superviser les instructions de l'Empereur relatives à l'ordre et à la quantité de mentions
de tel ou tel dignitaire ou notable. C'était Sa Majesté
qui s'en occupait personnellement, chaque dignitaire
voulant être mentionné le plus souvent possible et le
plus près du nom de Notre Souverain Tout-Puissant.
Il y avait donc des querelles, des jalousies et des intrigues incessantes pour faire mentionner celui-ci et
non celui-là, pour définir le nombre de mentions et
leur place. Même si nous recevions des instructions
strictes du trône et des normes précises sur la personne et la fréquence des mentions, l'avidité et la
licence étaient telles que les employés des Comptes
faisaient l'objet de pressions constantes de la part des
dignitaires qui voulaient se faire mentionner en
dehors de l'ordre et des normes établis. « Mentionne-
moi ! insistaient-ils les uns après les autres. Si un jour,
tu as besoin de quelque chose, tu peux compter sur

moi. » Comment s'étonner que nous succombions à la tentation de mentionner X ou Y en dehors des limites fixées et de gagner à notre cause un protecteur haut placé ? Nous prenions de sérieux risques, car les camps adverses comptaient les mentions des uns et des autres. Dès qu'ils repéraient une disparité, ils allaient faire un rapport à Sa Vénérable Majesté qui soit réprimandait soit réconciliait. Pour finir, le grand chambellan ordonna d'établir des cartes sur lesquelles était consigné le nombre de mentions de chaque dignitaire et d'envoyer tous les mois un bilan sur la base duquel Son Éminente Majesté ajoutait ou soustrayait des mentions. Présentement, notre travail consistait à détruire les cartes de l'ancien cabinet d'Aklilu et à en établir de nouvelles. C'était l'occasion de pressions incroyables, car les nouveaux ministres se battaient farouchement pour être mentionnés, chacun essayant d'être invité, qui à une réception, qui à une cérémonie afin d'y être mentionné. Malheureusement, juste après le remaniement ministériel, je me suis retrouvé à la rue, car à cause d'un trou de mémoire incompréhensible mais hautement répréhensible, j'ai omis de mentionner, une fois, le nom du nouveau ministre de la cour, Yohannes Kidane, qui est entré dans une telle rage qu'en dépit de mes appels à la clémence, il m'a fait mettre à la porte.

MARS-AVRIL-MAI

S. :

Nul besoin de vous expliquer, mon ami, que nous avons été victimes d'un complot satanique. S'il n'avait pas eu lieu, le Palais aurait résisté mille ans encore, car aucun palais ne s'effondre jamais de lui-même. Mais ce que je sais aujourd'hui, hier encore je l'ignorais. Nous foncions droit dans le mur. Or, comme nous étions plongés dans les ténèbres, que nous étions aveuglés, mortellement asphyxiés et sûrs de notre puissance, nous étions incapables d'imaginer qu'il pourrait y avoir une fin ! Tout le monde manifestait : les étudiants, les ouvriers, les musulmans, tous revendiquaient leurs droits, faisaient la grève, organisaient des meetings, insultaient le gouvernement. Selon un rapport, la 3e division basée dans l'Ogaden s'était insurgée. Désormais, notre armée tout entière était en effervescence, dressée contre le pouvoir. Seule la garde impériale lui conservait sa loyauté. Cette insolente anarchie et cette agitation calomniatrice dépassaient toutes les bornes. Le Palais se mit à murmurer, les dignitaires se regardaient les uns les autres, leurs yeux traduisaient une interrogation muette : « Que va-t-il se passer ? Que faire ? » La Cour étouffait, suffoquait, enflait de chuintements, de chuchotements, de rumeurs. Plus personne ne faisait plus rien, à part traîner dans les galeries, se réunir dans les salons, comploter en douce et maudire le peuple. Ces insultes

entre le Palais et la rue, ces critiques, cette haine et
cette malveillance mutuelles ne cessaient de croître et
empoisonnaient la vie. Je dirais que, lentement mais
sûrement, trois factions se formèrent au sein du
Palais. La première était la faction des Geôliers, une
coterie farouche et inflexible qui revendiquait la res-
tauration de l'ordre et l'arrestation des contestataires,
l'incarcération des insurgés, la matraque et le gibet.
Cette faction était menée par la fille de l'Empereur,
Tenene Work, une dame sexagénaire, une furie, une
teigne, qui reprochait constamment sa bonté à Sa
Vénérable Majesté. La deuxième faction regroupait les
Négociateurs, la coterie des libéraux, faibles mais philosophes, qui jugeaient indispensable de convier les
révolutionnaires autour d'une table et de discuter,
d'écouter leurs arguments afin de changer et de réformer l'Empire. Cette faction était dominée par le
prince Mikael Imru, un esprit ouvert, une nature
encline aux concessions, un homme ayant beaucoup
voyagé et connaissant bien les pays développés. Enfin,
la troisième faction regroupait les Fluctuants, les plus
nombreux au Palais, selon moi. Ceux-ci ne pensaient
rien, mais pareils à des bouchons de liège flottant sur
l'eau, ils se laissaient porter par les événements dans
l'espoir que les circonstances les feraient arriver à bon
port. Une fois la Cour divisée en Geôliers, Négociateurs et Fluctuants, chaque coterie se mit à défendre ses
opinions, mais en catimini, clandestinement même,
car Sa Très Extraordinaire Majesté haïssait les groupus-
cules, elle ne pouvait souffrir les bavardages, les

tensions ni aucune forme de pression perturbatrice.
Dès qu'elles furent formées, les factions se mirent à
se chamailler, à s'injurier, à sortir leurs griffes, à lever
le poing. Le Palais se réanima provisoirement, connut
un regain de vigueur. De nouveau, on se sentait
chez soi.

L. C. :

À cette époque, l'Empereur se levait de plus en plus
difficilement de son lit. Il dormait mal ou ne dormait
pas de la nuit, puis il somnolait durant toute la journée. Il ne nous adressait plus la parole, même pendant
les repas qu'il prenait en famille – il ne mangeait, du
reste, presque plus rien –, il restait sans rien dire ou
presque, devenait de plus en plus silencieux. Il ne
s'animait qu'à l'heure des Dénonciations, quand ses
proches l'informaient qu'au sein de la 4e division, des
officiers ayant des agents dans toutes les garnisons et
dans la police de l'Empire avaient fomenté un complot. Mais les rapporteurs étaient incapables de lui
dire qui faisait partie de la conspiration, car à l'époque
tout était gardé dans le plus grand secret. D'après ce
que les informateurs dirent par la suite, Sa Vénérable
Majesté les écoutait volontiers, mais elle ne donnait
aucune consigne, et tout en les écoutant, elle ne posait
aucune question. Ils n'en revenaient pas que leurs
rapports ne débouchent sur aucun résultat, car au lieu
d'ordonner des arrestations et des pendaisons, Son

Exceptionnelle Majesté se promenait dans le jardin, nourrissait les panthères, jetait des graines aux oiseaux sans ouvrir la bouche. À la mi-avril, alors que la rue était en proie à une agitation permanente, Sa Majesté fit préparer une cérémonie de succession. Dans la grande salle du trône, elle rassembla dignitaires et notables qui, dans l'attente et les chuchotements, se demandaient qui l'Empereur allait désigner comme successeur. C'était vraiment une nouveauté, car Sa Majesté avait, de tout temps, blâmé toute rumeur ou intrigue relatives à sa succession. Extrêmement ému, la voix si brisée et faible qu'elle en était à peine audible, Sa Très Gracieuse Majesté déclara que vu son âge avancé et l'appel de plus en plus pressant du Seigneur, elle souhaitait qu'après son pieux décès, son petit-fils, Zera Yacob, lui succédât sur le trône. À cette époque, ce jeune homme de 20 ans faisait ses études à Oxford où il venait d'être envoyé, à cause de sa vie licencieuse qui causait tant de soucis à son père, le prince Asfa Wossen, le seul fils qui restait à l'Empereur, paralysé à vie et soigné dans un hôpital de Genève. Bien que telle fût la volonté de Sa Majesté, les vieux dignitaires et les vénérables membres de la Maison impériale se mirent à murmurer et même à protester en douce en disant qu'ils n'obéiraient jamais à un pareil morveux, car ce serait une humiliation et un outrage à leur âge respectable et aux innombrables services qu'ils avaient rendus à la patrie. Aussitôt se forma une opposition à la volonté impériale. Une faction intriguait pour placer sur le trône la dame Geôlière,

Tenene Work, fille de Sa Majesté. Une autre faction manœuvrait pour promouvoir un autre petit-fils de l'Empereur, le prince Makonen, à l'époque étudiant en Amérique dans une école d'officiers. Alors, mon ami, au beau milieu de toutes ces intrigues qui se déchaînaient soudain et plongeaient la Cour entière dans une bataille si passionnée que tout le monde en oubliait les événements de l'Empire et des rues proches du Palais, voilà que l'armée fit irruption dans la ville et arrêta, en pleine nuit, tous les ministres de l'ancien gouvernement Aklilu. Elle enferma le Premier ministre en personne et deux cents généraux et officiers supérieurs réputés pour leur exceptionnelle et inébranlable loyauté à l'égard de l'Empereur, prenant tout le monde de court. Personne n'était encore remis de ce choc incroyable que l'on apprit l'arrestation du chef de l'état-major, le général Assefa Ayena, l'homme le plus loyal envers l'Empereur, celui qui avait sauvé le trône lors des événements de décembre en exterminant le groupe des frères Neway et en écrasant la garde impériale. Au Palais régnait une atmosphère de terreur, d'angoisse, de confusion, de démoralisation. Les Geôliers faisaient pression sur l'Empereur pour qu'il réagisse et fasse libérer les notables incarcérés, pour qu'il ordonne de repousser les étudiants et de pendre les conspirateurs. Sa Bienveillante Majesté écoutait tous les conseils, acquiesçait, réconfortait. Les Négociateurs prétendaient, quant à eux, que c'était l'ultime moment pour s'asseoir autour d'une table, pour concilier les insurgés, pour réformer l'Empire. Sa Très Vertueuse

Majesté les écoutait en approuvant et en les réconfortant. Les jours passaient tandis que les conspirateurs arrêtaient, un à un, les dignitaires du Palais. La dame Geôlière s'en prit de nouveau à Sa Singulière Majesté qui, selon elle, ne défendait pas les sujets loyaux. Mais il faut croire, mon ami, que plus on est loyal, plus on s'expose aux coups. Si, de surcroît, on se laissait entraîner par une faction, Sa Majesté vous laissait tomber aussi sec. La princesse ne semblait pas comprendre cette règle, car elle défendait avant tout la loyauté. On était déjà au mois de mai, il était grand temps de faire prêter serment au cabinet du Premier ministre Makonen. Mais le protocole impérial annonça que ce serait difficile vu que pour la plupart, les ministres soit croupissaient en prison, soit s'étaient enfuis à l'étranger, soit avaient disparu du Palais. Quant au Premier ministre, il se faisait insulter par les étudiants qui lui jetaient des cailloux, car Makonen n'avait pas su gagner leur sympathie. Après sa promotion, il était devenu si vaniteux, si infatué, si imbu de lui-même que son regard était trouble et ne fixait plus que l'horizon, il ne reconnaissait plus personne, il était devenu indomptable et inabordable. Guidé par une force surnaturelle, il déambulait dans les galeries du Palais, entrait dans les salons pour en ressortir aussitôt, l'air distant, inaccessible, intouchable. Dès qu'il faisait son apparition, il déclenchait une sorte de culte de la personnalité, autour de lui tout le monde se mettait à le glorifier, à le vénérer, à l'encenser, à lui faire des révérences et des courbettes. Déjà à l'époque, on savait que Makonen

ne tiendrait pas longtemps, car ni les soldats ni les
étudiants ne voulaient de lui. Pour finir, je ne me souviens plus si la cérémonie du serment eut lieu ou non,
car les ministres se faisaient coffrer les uns après les
autres. Il faut que vous sachiez, mon ami, que nos
conspirateurs faisaient preuve d'une ruse exceptionnelle. Dès qu'ils arrêtaient quelqu'un, ils déclaraient
aussitôt qu'ils le faisaient au nom de l'Empereur et protestaient de leur loyauté envers Sa Majesté, ce qui procurait au monarque une immense satisfaction, et
chaque fois que la fille de Sa Majesté, Tenene Work,
venait voir son père pour traiter les militaires de tous
les noms, Sa Majesté la sermonnait en louant la fidélité
et le dévouement de son armée. Sa Majesté venait
d'ailleurs d'avoir une preuve supplémentaire de sa
loyauté puisque, au début du mois de mai, les vétérans
organisèrent une manifestation de soutien à l'Empereur
devant le Palais en louant haut et fort Sa Vénérable
Majesté. Notre Éminent Monarque sortit même sur
le balcon pour remercier l'armée de son inébranlable
dévouement et lui souhaiter succès et prospérité.


JUIN-JUILLET


U. Z.-W. :

Le Palais était en proie au découragement, à l'abattement, à l'angoisse du lendemain, quand soudain, Sa
Majesté convoqua ses conseillers et les blâma de négli-

ger le Développement. Après une terrible semonce, elle leur déclara que nous allions construire des barrages sur le Nil. Comment pouvions-nous construire des barrages, grommelaient, en leur for intérieur, les conseillers abasourdis, quand les hommes crèvent de faim dans les provinces, que le peuple est en effervescence, que les Négociateurs murmurent pour réformer l'Empire, que les officiers conspirent, que les notables se font arrêter ? Des râleurs chuchotaient dans les galeries qu'il valait mieux s'occuper des crève-la-faim plutôt que des digues. Là-dessus, le ministre des Finances expliqua que si on construisait des barrages, on pourrait irriguer les champs et enrayer la famine grâce à l'abondance des récoltes. « D'accord, rétorquèrent les râleurs, mais il faudra des années pour construire ces barrages et, pendant ce temps, le peuple aura le temps de crever. » « Pourquoi voulez-vous qu'il crève ? demanda le ministre des Finances, il a tenu bon jusqu'à présent, ce n'est pas maintenant qu'il va se mettre à crever. De plus, si nous ne construisons pas ces barrages, poursuivit le ministre, comment ferons-nous pour rattraper le retard et prendre la tête du peloton ? » « De quelle course parlez-vous ? » demandèrent les mécontents en râlant. « Ben voyons ! s'exclama le ministre des Finances. De la course avec l'Égypte ! » « Mais monsieur le ministre, l'Égypte est bien plus riche que nous. Par ailleurs, son barrage, elle ne l'a pas payé avec ses propres deniers. D'où prendrons-nous les fonds pour construire les nôtres ? » Là, le ministre des Finances se fâcha tout rouge contre les râleurs incrédules à qui il se mit à expliquer combien il était important de se sacrifier pour le Développement. « Si nous ne construisons pas nos barrages, il n'y aura pas de Développement. Or Sa Majesté a ordonné à tout le monde de se développer sans relâche, sans trêve ni repos, de tout son cœur. » Juste après, le ministre de l'Information décréta que la décision de Sa Vénérable Majesté était un nouveau succès. Je me souviens même qu'en un clin d'œil, la capitale arbora des slogans qui clamaient :

*Avec nos barrages et notre courage,*
*Famine et misère se terminent.*
*Mauvaises langues !*
*Jamais vous ne stopperez le progrès !*

Cette affaire de barrages déchaîna à ce point la colère des officiers conspirateurs qu'ils arrêtèrent peu après les membres du Conseil impérial formé par Sa Suprême Majesté pour superviser les chantiers, sous prétexte que cela ne pouvait qu'aggraver la corruption et la famine du peuple. J'ai tendance à croire que le comportement des officiers dut fortement déplaire à Sa Majesté qui, sentant le poids des années de plus en plus lourd sur ses épaules, voulait laisser derrière elle un monument impressionnant et admiré du monde entier afin qu'après, tous puissent s'écrier en apercevant les barrages impériaux : « Regardez un peu ! Seul l'Empereur a pu ériger de telles merveilles ! Qui d'autre que lui aurait pu construire des montagnes aussi prodigieuses en travers du fleuve ? » De toute façon, si Sa Majesté avait prêté l'oreille à ceux qui chuchotaient qu'il valait mieux nourrir les crève-la-faim plutôt que de construire ces barrages, elle n'aurait pas pu les empêcher de mourir, même rassasiés. Et tous, Sa Majesté y compris, auraient disparu sans laisser de trace.

*Mon interlocuteur se demande si à cette époque, l'Empereur songeait à son départ. Car il avait désigné son successeur et ordonné la construction de barrages sur le Nil afin de laisser de son règne une trace éternelle (idée complètement extravagante quand on sait les besoins vitaux de l'Empire !). Il pense toutefois qu'il y avait autre chose. En nommant comme successeur son tout jeune petit-fils, il voulait punir son fils du rôle blâmable qu'il avait joué lors des événements de décembre 1960. En ordonnant la construction de barrages sur le Nil, il voulait prouver au monde que l'Empire était en pleine croissance et prospérité, et que toutes les calomnies relatives à la misère et à la corruption n'étaient que ragots des ennemis de la monarchie. En fait, poursuit mon interlocuteur, l'idée même de partir était totalement étrangère à l'Empereur qui considérait l'État comme sa création personnelle et croyait qu'avec son départ, le pays tomberait en ruines et disparaîtrait. Pouvait-il vraiment détruire son œuvre personnelle, et en abandonnant le Palais, s'exposer,*

*de son plein gré, aux coups de ses ennemis qui le guet-*
*taient ? Non, il était hors de question de partir. Au*
*contraire, après quelques brefs accès de dépression*
*sénile, l'Empereur sembla ressusciter, se ranimer,*
*reprendre de la vigueur. Son visage de vieillard expri-*
*mait même une certaine fierté d'être encore si agile,*
*lucide et fort. Arriva le mois de juin. Les conspirateurs,*
*désormais sûrs d'eux, réitérèrent leurs attaques habiles*
*contre le Palais. Leur stratégie était redoutable et sub-*
*tile : ils détruisaient le système en gardant toujours le*
*nom de l'Empereur à la bouche, faisant croire qu'ils*
*exécutaient sa volonté et appliquaient docilement ses*
*idées. Toujours en prétendant agir au nom de l'Empe-*
*reur, ils créèrent une commission chargée de surveiller*
*la corruption parmi les dignitaires : ils vérifiaient leurs*
*comptes, recensaient leurs propriétés et leurs richesses.*
*Les gens du Palais étaient paniqués, car dans un pays*
*pauvre où la richesse ne provient pas de la production*
*mais de privilèges faramineux, aucun dignitaire ne*
*pouvait avoir la conscience tranquille. Les plus peu-*
*reux envisagèrent de fuir à l'étranger, mais les mili-*
*taires avaient fermé l'aéroport et promulgué un décret*
*interdisant de quitter le pays. Une nouvelle vague*
*d'arrestations submergea le Palais. Chaque nuit, des*
*hommes disparaissaient, la cour se vidait. L'incarcéra-*
*tion du prince Asrate Kassa, président du Conseil de*
*la couronne et deuxième personnalité de la monarchie*
*après l'Empereur, suscita une vive émotion. Le ministre*
*des Affaires étrangères, Minassie Hajle, se retrouva*
*aussi derrière les barreaux avec une centaine d'autres*

*dignitaires. L'armée occupa la radio et annonça pour la première fois qu'un comité de coordination des forces armées et de la police prenait la tête du mouvement de renouveau, toujours au nom de l'Empereur, comme ils ne cessaient de le répéter.*

C. :

Le monde entier, mon ami, était sens dessus dessous, tout cela pour la bonne raison que des signes étranges étaient apparus dans le ciel. La lune et Jupiter, en s'arrêtant à la VIIᵉ et à la XIIᵉ maison, commençaient à former un carré au lieu de former un triangle, ce qui n'était pas de bon augure. Aussi les hindous qui étaient chargés d'interpréter les signes s'enfuirent-ils du Palais, sans doute pour ne pas irriter Sa Majesté par de mauvais présages. Je pense toutefois que la princesse Tenene Work les rencontrait clandestinement, car elle parcourait le Palais comme une furie en tarabustant Sa Majesté pour qu'elle procède à des arrestations et à des pendaisons. Les autres Geôliers insistaient aussi auprès de Son Auguste Majesté, ils la suppliaient même à genoux, pour qu'elle bride les conspirateurs, qu'elle les fasse mettre derrière les verrous. Mais quelle ne fut leur consternation et leur perplexité quand ils virent que Son Ineffable Majesté ne quittait plus son uniforme militaire avec toutes ses décorations et son bâton de maréchal, comme s'il voulait montrer qu'il dirigeait encore son armée, qu'il était toujours à sa tête et que c'est lui qui donnait les ordres ! Tant pis si cette armée s'opposait au Palais – car il s'agissait d'une véritable opposition –, l'essentiel c'est qu'elle demeurât sous son commandement, qu'elle restât fidèle, loyale et qu'elle fît tout au nom de l'Empereur ! Elle s'était mutinée ? D'accord, mais la mutinerie s'était déroulée dans la loyauté ! Comprenez bien, mon ami, que Sa Vénérable Majesté voulait continuer à tout dominer, même s'il y avait eu rébellion. Elle voulait diriger l'insurrection, elle voulait la maîtriser, même si les mutins se révoltaient contre elle. Les Geôliers marmonnaient que Sa Majesté n'avait plus toute sa tête puisqu'elle était incapable de comprendre qu'elle précipitait sa propre chute. Mais Sa Bienveillante Majesté n'écoutait personne, elle continuait de recevoir la délégation du comité militaire, le Derg en langue amharique, elle s'enfermait dans son cabinet et poursuivait ses consultations avec les conspirateurs ! Mon ami, j'ai honte d'avouer que des rumeurs impies et répréhensibles circulaient dans les couloirs sur la sénilité de Sa Magnanime Majesté. En effet, la présence de caporaux et de sergents dans la délégation du Derg était impensable. Comment Sa Très Lumineuse Majesté pouvait-elle s'asseoir à la même table que de vulgaires soldats ? Il est difficile aujourd'hui de savoir de quoi Sa Majesté s'entretenait avec ces hommes. Peu après commencèrent de nouvelles arrestations et le Palais devint encore plus désert. Ils incarcérèrent le prince Mesfina Shileshi, un grand seigneur qui avait sa propre armée, mais ses soldats furent aussitôt désarmés. Ils enfermèrent aussi Worku Sélassié, qui possédait des terres immenses. Ils enfermèrent le général Abiye Abebe, gendre de l'Empereur et ministre de la Défense. Pour finir, ils enfermèrent le premier ministre Endelkachew et certains de ses ministres. Tous les jours, ils enfermaient quelqu'un, en répétant que c'était au nom de l'Empereur. La dame Geôlière houspillait son vénérable père pour qu'il fasse preuve de fermeté. Père, redressez-vous, disait-elle. Soyez ferme ! Sincèrement, de quelle fermeté peut-on faire preuve à un âge aussi avancé ? Sa Majesté ne pouvait manifester que de la douceur. Elle fit preuve, d'ailleurs, d'une immense sagesse en adoptant une attitude conciliante et en essayant d'adoucir les conspirateurs plutôt que de tenter de vaincre leur résistance par la fermeté. La dame Geôlière exigeait toujours plus d'autorité, elle regardait la douceur paternelle avec une fureur croissante, rien ne pouvait l'apaiser ni apaiser ses nerfs à vif. Sa Bienveillante Majesté, quant à elle, ne perdait jamais son calme, au contraire, elle continuait de féliciter toujours la dame, de la réconforter, de lui redonner courage. Les conspirateurs fréquentaient le Palais de plus en plus assidûment, Sa Majesté les recevait, les écoutait, les louait pour leur loyauté, les encourageait. Les Négociateurs étaient donc aux anges, eux qui réclamaient toujours de s'asseoir autour d'une table pour réformer l'Empire, pour satisfaire les exigences des rebelles. Chaque fois que les Négociateurs présentaient un projet de conciliation, Son Ineffable Majesté les félicitait pour leur loyauté, les réconfortait et les encourageait. Mais comme l'armée s'était aussi attaquée aux Négociateurs, leurs voix devenaient de moins en moins audibles. Les salons, les galeries et les cours étaient de jour en jour plus vides sans que personne ne prît la défense du Palais. Personne n'ordonnait de fermer les portes et de sortir les armes. Les gens se regardaient en pensant : peut-être vont-ils arrêter mon voisin et moi, me laisser en paix ? Si je fais un esclandre, ils risquent de me coffrer et de laisser les autres tranquilles. Il vaut mieux ne pas bouger et ne rien voir. Si je me manifeste, il ne me restera plus que les yeux pour pleurer. Si je hurle, j'en prendrai pour mon grade. En désespoir de cause, tout le monde venait voir Sa Majesté pour lui demander de l'aide, et Notre Souverain Tout Puissant écoutait les lamentations, félicitait et encourageait. Avec le temps, il devint toutefois de plus en plus difficile d'obtenir une audience auprès de Sa Vénérable Majesté car, lassée par ces interminables gémissements, complaintes, revendications et délations, elle préférait recevoir des ambassadeurs et autres délégations de pays étrangers, car ces derniers la réconfortaient par leurs louanges, leurs consolations et leurs encouragements. Ce sont d'ailleurs les ambassadeurs et les conspirateurs qui furent les dernières personnes à s'entretenir avec Sa Majesté avant son départ. À l'unanimité, ils confirmèrent que Sa Majesté était en bonne santé et en parfaite possession de ses moyens intellectuels.

D. :

Les Geôliers qui restaient encore au Palais arpentaient les galeries en appelant à l'action. « Il faut agir, disaient-ils, passer à l'offensive, attaquer les conspirateurs, sinon tout va s'effondrer lamentablement. » Mais comment passer à l'offensive quand la Cour tout entière est sur la défensive ? Comment garder son sang-froid quand on est dans le désarroi ? Comment écouter les Négociateurs qui appellent aux réformes quand ils ne disent pas ce qu'il faut réformer et où prendre les forces pour le faire ? Les changements ne pouvaient être ordonnés que par le monarque, ils nécessitaient son approbation et son soutien, sinon ils devenaient sacrilège et sujets à réprimande. Il en était de même des faveurs. Seule Sa Majesté pouvait les dispenser. Tout ce qui ne venait pas du trône était considéré comme une usurpation. Déprimés, les courtisans se demandaient qui leur distribuerait des faveurs et qui accroîtrait leurs richesses au cas où Sa Majesté viendrait à disparaître. Prisonniers de leur Palais traqué, harcelé, critiqué, ils tentaient de briser la passivité, de faire une action d'éclat, d'avoir une idée lumineuse, de manifester leur vitalité. Ceux qui en avaient encore la force parcouraient les galeries, fronçaient les sourcils, se creusaient la tête pour trouver une issue. Ils finirent par tomber sur l'idée d'une célébration commémorative. « Quelle idée saugrenue ! s'écrièrent les Négociateurs. Comment peut-on penser à une cérémonie d'anniversaire quand c'est notre dernière chance de nous asseoir autour d'une table pour sauver l'Empire, pour le réformer ! » Mais les Fluctuants trouvèrent l'idée bonne, car cette commémoration pouvait être interprétée comme un signe de dynamisme digne et respectable. Ils se mirent donc à préparer la fête, à programmer des manifestations, à organiser des banquets pour les pauvres. Figurez-vous, mon ami, qu'ils profitèrent de l'anniversaire de Sa Majesté qui venait d'avoir 82 ans. Les étudiants criaient à l'envi que Sa Majesté était, en fait, dans sa quatre-vingt-douzième année. Ils auraient découvert dans de vieilles paperasses que jadis, Sa Majesté se serait rajeunie d'une dizaine d'années. Mais la bave des étudiants ne pouvait pas atteindre les blanches festivités que le ministre de l'Information, par miracle encore en liberté, qualifia de succès et d'exemple parfait d'harmonie et de loyauté. Aucune contrariété n'aurait su vaincre ce ministre. Il était d'une telle vivacité que dans la pire des catastrophes, il décelait un avantage. Il avait l'esprit si habilement tourné que dans une défaite il voyait une victoire, dans un malheur un bonheur, dans la misère l'opulence, dans un cataclysme une aubaine. Sans une pareille tournure d'esprit, il eût été impossible de qualifier cette sinistre fête de merveille. Ce jour-là, il tombait une pluie glacée et un brouillard lugubre obscurcissait l'atmosphère. Sa Majesté sortit sur le balcon du Palais pour prononcer le discours du trône. À ses côtés se tenait une poignée de dignitaires trempés, abattus, déprimés, les autres ayant été arrêtés ou ayant fui de la capitale. Il n'y avait pas de foule en contrebas, seuls les domestiques et quelques soldats de la garde impériale se tenaient sur les bords d'une cour déserte. Sa Vénérable Majesté exprima sa compassion à l'égard des provinces affamées et affirma qu'elle ne renoncerait à aucun effort pour poursuivre le Développement fructueux de l'Empire. Elle remercia aussi l'armée pour sa loyauté, loua ses sujets, adressa ses encouragements et souhaita bonne chance à tout son monde. Elle parlait si doucement qu'à travers le bruissement de la pluie, ses paroles étaient à peine perceptibles. Mon ami ! J'emporterai ce souvenir dans ma tombe ; j'entends encore la voix, de plus en plus brisée, de Sa Majesté et je vois des larmes couler sur son vénérable visage. C'est à ce moment-là, oui, à ce moment-là que j'ai pensé pour la première fois que c'était vraiment la fin, que par cette journée pluvieuse, la vie partait pour de bon, que nous étions submergés par une brume froide et gluante et que la lune et Jupiter s'étaient arrêtés à la VII<sup>e</sup> et à la XII<sup>e</sup> maison pour former un carré.

*Pendant toute cette période – on est en 1974 –, se déroule une lutte acharnée entre deux adversaires habiles et rusés : le vieil Empereur et les jeunes officiers du Derg. De leur côté, les officiers jouent à cache-cache, ils essaient de traquer le vieux monarque dans sa tanière royale. L'Empereur, lui, a un plan d'action plus subtil. Mais attendons un peu, nous allons bientôt* connaître ses intentions ! Quant aux autres partenaires entraînés malgré eux dans ce jeu captivant et dramatique, ils ne comprennent pas grand-chose à ce qui se passe. Les dignitaires et les favoris s'agitent dans les galeries du Palais, désemparés et terrorisés. Il faut se souvenir que le Palais était un nid de médiocrité, un ramassis de sujets de seconde zone. Nul n'ignore qu'en période de crise, ces derniers sont toujours les premiers à perdre la tête et ne pensent qu'à sauver leur peau. Dans ces moments, la médiocrité est extrêmement dangereuse, car face à la menace elle se fait impitoyable. C'est ce qui arrive notamment aux Geôliers, incapables de faire autre chose que de manier le fouet et de faire couler le sang. La panique et la haine les aveuglent et les forces les plus viles les poussent à agir : mesquinerie, égoïsme bestial, peur de perdre leurs privilèges et d'être condamnés. Le dialogue avec ces gens-là est impossible, dénué de sens. Le deuxième groupe est constitué par les Négociateurs, hommes de bonne volonté, mais toujours sur la défensive, fragiles, faibles et incapables de sortir du schéma de pensée du Palais. Ce sont eux qui prennent le plus de coups, de tous les côtés, ils se font rejeter et éliminer, car ils essaient de trouver leur place dans un contexte définitivement brisé dans lequel deux adversaires extrêmes, les Geôliers et les rebelles, n'ont pas besoin de leurs services, ils sont traités comme une espèce flasque et inutile, comme un obstacle, car le but des extrémistes est la confrontation et non la réconciliation. Les Négociateurs ne comprennent donc rien non plus et ne jouent aucun rôle. *Eux aussi passent à côté de l'Histoire, sont délaissés par elle. Quant aux Fluctuants, il n'y a rien à dire à leur sujet, ils se laissent porter par le courant, banc de poissons passifs, menu fretin ballotté dans tous les sens, se bagarrant pour survivre à n'importe quel prix. C'est la faune du Palais contre laquelle se bat un groupe d'officiers, jeunes gens vifs et intelligents, patriotes ambitieux et amers, conscients de la tragédie où est plongée leur patrie, de la stupidité et de l'incompétence de l'élite, de la corruption et de la dépravation, de la misère et de la dépendance humiliante de leur pays à l'égard d'États plus puissants. Membres de l'armée impériale, ces derniers appartiennent aux couches inférieures de l'élite. Eux aussi ont profité des privilèges ; ce qui les motive toutefois, ce n'est pas la crainte de la pauvreté, qu'ils n'ont pas connue directement, mais un sentiment de honte et de responsabilité. Ils ont des armes et sont décidés à en faire pleinement usage. La conspiration se noue dans les quartiers généraux de la 4ᵉ division dont la caserne est située dans les faubourgs d'Addis-Abeba, tout près du Palais impérial. Pendant longtemps, le groupe de conspirateurs agit dans un secret absolu, la moindre fuite, la moindre indiscrétion pouvant provoquer des répressions et des exécutions. Petit à petit, la conspiration se répand dans les autres garnisons, puis dans les rangs de la police. L'événement qui précipite la confrontation avec le Palais est la tragédie de la famine dans les provinces du nord. En général, on dit que c'est la sécheresse et donc les mauvaises récoltes qui provoquent la famine.*

*Cette vision des choses est défendue par les élites des pays concernés. Elle est fausse. La famine provient, le plus souvent, d'une répartition mauvaise ou injuste des fonds, des biens de l'État. En Éthiopie il y avait beaucoup de céréales, mais elles furent cachées par les riches, puis mises sur le marché à un prix deux fois plus élevé. Elles devinrent donc inaccessibles aux pauvres des villes et des campagnes. Selon certaines données, des centaines de milliers d'hommes seraient morts à côté de silos bourrés de grain. Sur l'ordre de notables locaux, la police achevait des foules de squelettes. C'est cette situation de préjudice extrême, d'horreur, d'absurde et de désespoir qui sert de signal d'alarme aux officiers conspirateurs. La rébellion se répand progressivement à toutes les divisions. Or l'armée est le principal soutien du pouvoir impérial. Après une brève période d'étourdissement, de stupéfaction et d'hésitation, Hailé Sélassié commence à comprendre qu'il est en train de perdre son instrument de pouvoir le plus important. Au début, le Derg agit dans la clandestinité, il conspire en cachette, à l'insu de tout le monde, sans savoir lui-même qu'une grande partie de l'armée est de son côté. Il est, en effet, obligé d'agir avec prudence, d'avancer tout doucement, en restant toujours à l'affût. Il est soutenu par les ouvriers et les étudiants, ce qui n'est pas négligeable, mais la majorité des généraux et des officiers supérieurs sont contre les conspirateurs, ils restent toujours aux commandes et continuent de donner les ordres. Avancer pas à pas, telle est la tactique de cette révolution dictée par le contexte. S'ils*

avaient agi ouvertement et d'un seul coup, une partie
de l'armée, désorientée et désemparée, ne les aurait pas
soutenus, voire les aurait liquidés. On aurait assisté à
une répétition du drame de 1960, lorsque l'armée tira
sur l'armée, ce qui permit au Palais de durer treize
ans de plus. Au sein même du Derg, il y a, d'ailleurs,
des dissensions. Certes, tous veulent anéantir le Palais,
tous veulent remplacer ce régime anachronique, usé,
désespérément végétatif, mais la personne de l'Empereur constitue un sujet de discorde. L'Empereur avait
créé autour de lui un mythe dont il était impossible
de connaître la force et la vitalité. C'était une figure
aimée dans le monde, dotée d'un charme particulier,
universellement respectée. De surcroît, il était le chef
de l'Église, l'élu de Dieu, le directeur des consciences.
Lever la main contre lui se soldait immanquablement
par la potence ou le gibet. Les hommes du Derg étaient
courageux, mais c'étaient aussi des têtes brûlées. Ils ont
raconté, après, qu'en prenant la décision de s'insurger
contre l'Empereur, ils ne croyaient pas réussir. Il se peut
que Hailé Sélassié ait été au courant des doutes et des
divergences qui minaient le Derg vu qu'il disposait
d'un réseau de renseignements extraordinairement
développé. Il se peut aussi qu'il se soit laisser guider
par son seul instinct, par une fine perspicacité straté-
gique, par une grande expérience. À moins que ce soit
encore autre chose ? Peut-être n'avait-il plus la force
de poursuivre la lutte. Il était, semble-t-il, le seul à
comprendre que la vague prête à submerger le Palais
était inexorable. Tout se désagrégeait, il se sentait

démuni. Il commença donc à reculer, à lâcher même
les rênes du pouvoir. Il jouait la comédie, mais ses
proches savaient qu'en réalité il ne faisait plus rien,
qu'il n'agissait plus. Dérouté par cette inactivité, son
entourage se perdait en conjectures. Les factions lui
présentaient, tour à tour, des arguments complètement
contradictoires, et lui, il accordait son oreille à tous
avec la même équité, il acquiesçait, félicitait, consolait,
encourageait. Hautain, lointain, fermé, distant, il
laissait faire les choses comme s'il vivait dans un autre
espace et dans un autre temps. Peut-être voulait-il
rester en dehors du conflit afin de laisser la route libre
à des forces nouvelles qu'il était, de toute façon, incapable de contenir. Peut-être espérait-il que son attitude
conciliante lui vaudrait, par la suite, le respect et
l'approbation des rebelles. En effet, ce vieillard seul et
abandonné, avec un pied dans la tombe, ne constitue-
rait pas pour eux un danger. S'accrochait-il au pouvoir ? Voulait-il sauver sa vie ? Pour le moment, les
militaires commencent par de petites provocations : ils
arrêtent quelques ministres du gouvernement Aklilu
qu'ils accusent de corruption. Puis ils attendent, dans
l'angoisse, la réaction de l'Empereur. Mais Hailé
Sélassié se tait. L'opération a réussi, le premier pas est
fait. Encouragés, ils se lancent dans une tactique de
déboulonnage graduel de l'élite, de démantèlement lent
mais scrupuleux du Palais. Les dignitaires et les
notables disparaissent les uns après les autres, ils se font
tous arrêter passivement, sans réagir, attendant leur
tour. Après, ils se retrouvent tous dans la prison de

*la 4ᵉ division, dans un anti-Palais nouveau, étrange, inhospitalier. Devant la porte de la caserne, juste à côté de la ligne de chemin de fer Addis-Abeba-Djibouti, se traîne une longue file de limousines. Choqués et terrifiés, les princesses, les ministres, les généraux apportent à leurs maris et à leurs frères incarcérés, prisonniers du nouveau régime, nourriture et vêtements. Une foule de badauds surexcités et stupéfiés contemple la scène, car la rue ignore encore ce qui se passe vraiment, elle n'a pas encore compris. L'Empereur est toujours au Palais, les officiers continuent de délibérer au quartier général de la division, à planifier les arrestations. Le grand jeu se poursuit, mais le dernier acte approche.*

## AOÛT-SEPTEMBRE

**M. W. Y. :**

Ainsi, au milieu d'une atmosphère d'abattement, d'étouffement et de sinistre tristesse, des médecins suédois, conviés par Son Ineffable Majesté depuis fort longtemps, débarquèrent soudain au Palais. Retardés pour une raison incompréhensible, ils venaient d'arriver à la cour pour donner des leçons de gymnastique. Il faut que vous gardiez à l'esprit, mon cher ami, qu'à cette époque déjà, tout avait commencé à se délabrer, les membres de la suite impériale qui n'avaient pas encore été arrêtés se demandaient quand leur heure sonnerait et parcouraient les galeries du Palais à pas feutrés afin de ne pas tomber sous les yeux des officiers qui ne laissaient échapper personne, arrêtaient et coffraient tout le monde. Imaginez-vous un peu, mon ami, que c'est dans ce contexte de coups de filet, de rafles, de chasse à l'homme qu'il fallut se présenter au cours de gymnastique ! Qui peut bien avoir la tête à l'éducation physique, s'écrièrent les Négociateurs, alors qu'il est urgentissime de s'asseoir autour d'une table pour rendre l'Empire meilleur, vivable et agréable ? Mais telle était la volonté de Sa Majesté et du Conseil de la couronne qui avaient naguère décidé que les courtisans devaient prendre grand soin de leur santé, profiter des bienfaits de la nature, se reposer autant que nécessaire dans le confort et l'opulence, respirer le bon air, de préférence étranger. Sa Bienveillante Majesté avait d'ailleurs interdit de lésiner sur ce chapitre, répétant maintes et maintes fois que la vie de ses courtisans était le plus grand trésor de l'Empire et la plus grande valeur de la monarchie. En son temps, Sa Majesté avait même promulgué un décret qui contraignait les sujets à se soumettre à des exercices de gymnastique, et comme le texte de loi n'avait jamais été abrogé pour cause de troubles et de désordres, la poignée de courtisans qui restaient au Palais fut contrainte de se présenter, un beau matin, au cours de gymnastique pour dégourdir, fortifier et assouplir le plus grand trésor de l'Empire en agitant bras et jambes. Voyant qu'en dépit de l'invasion insolente et progressive du Palais par les rebelles, la gymnastique suivait son cours, le ministre de l'Information déclara que l'initiative de Sa Majesté était un immense succès et une preuve réconfortante de l'unité et de l'inviolabilité de notre cour. Le décret stipulait aussi que dès qu'un sujet en charge de fonctions gouvernementales était un tant soit peu las, il devait aussitôt faire une pause, aller dans un endroit confortable et retiré afin de se détendre, de prendre une bouffée d'air frais et de se rapprocher de la nature dans la tenue la plus sobre et la plus simple. Si on négligeait ces recommandations par simple distraction ou par excès de zèle, on se faisait réprimander par Sa Singulière Majesté ou par d'autres courtisans qui s'empressaient de vous rappeler qu'il ne fallait pas gaspiller le trésor de l'Empire et qu'il était indispensable de préserver la valeur la plus sûre de la monarchie. Mais comment pouvait-on s'approcher de la nature et prendre du repos quand les officiers ne laissaient sortir personne du Palais ? Si on réussissait à s'éclipser chez soi, on se faisait arrêter par les rebelles qui nous attendaient à la maison, en embuscade. Le gros inconvénient de la gymnastique, c'est qu'une fois le groupe de courtisans réuni dans un salon pour y agiter bras et jambes, les conspirateurs entraient et coffraient tout le monde. « Leurs jours sont comptés, et il font de la gymnastique ! » ricanaient les officiers avec insolence. Vous avez là la preuve, mon ami, que ces messieurs les officiers ne respectaient plus aucune valeur et agissaient contre le bien de l'Empire. Même les docteurs suédois étaient inquiets, car leur contrat fut annulé. Ils eurent toutefois la chance de garder la vie sauve.

Pour que les rebelles ne raflent pas tout le monde d'un coup, le grand chambellan de la cour eut recours à un stratagème habile en ordonnant de pratiquer la gymnastique par petits groupes. Ainsi, si certains se faisaient attraper, d'autres sauvaient leur vie et, contents de l'avoir échappé belle, ils pouvaient garder le contrôle du Palais. Mais même cette ruse ingénieuse et habile ne fut pas d'un grand secours, mon cher ami, car les rebelles faisaient preuve d'une arrogance sans bornes, ils pilonnaient le Palais sans relâche et nous persécutaient avec une violence sans pareille. Le mois d'août arrivé, Notre Souverain Tout-Puissant entama ses dernières semaines de règne. Mais le mot « règne » est-il l'expression juste pour parler de cette période de déclin ? Il est, en effet, extrêmement difficile d'établir la frontière entre un pouvoir réel, fort, voire tyrannique et un semblant de pouvoir, une pantomime creuse, un simulacre, une figuration où l'on ne voit, où l'on n'entend personne autour de soi, où l'on n'est tourné que vers soi-même. Il est encore plus difficile de dire à quel moment on passe de la toute-puissance à l'impuissance, de la bonne fortune à l'adversité, de l'éclat à la flétrissure. Personne au Palais n'était en mesure de sentir ce moment, car on avait le regard si fixe que jusqu'à la fin, on a vu la toute-puissance dans l'impuissance, la bonne fortune dans l'adversité, l'éclat dans la flétrissure. Même si l'un d'entre nous avait eu une autre vision, comment aurait-il pu, sans exposer sa tête, tomber aux pieds de Notre Monarque pour lui dire :

« Sa Majesté est dans l'impuissance, Sa Majesté est entourée d'adversité, Sa Majesté est recouverte de flétrissure ! » Le malheur du Palais, c'est qu'il ne donnait pas accès à la vérité. Il nous fallut atterrir en prison pour retrouver nos esprits. Tout cela, mon ami, parce qu'en chacun de nous, tout était cloisonné, partagé : la vue de la pensée, la pensée de la parole. Personne n'avait la possibilité de rassembler ces trois facultés en une seul voix et de la faire entendre. Mais à mes yeux, mon ami, nos malheurs ont vraiment commencé quand Son Exceptionnelle Majesté a autorisé nos étudiants à se réunir à ce défilé de mode, donnant par là même l'occasion à une foule de se former et à une manifestation de s'organiser. C'est là vraiment que le mouvement contestataire a démarré. Ce fut une erreur rédhibitoire, car il ne fallait en aucun cas tolérer le moindre mouvement puisque nous ne pouvions exister que dans l'immobilité. Plus l'immobilité était immobile, plus nous avions de chances de durer et de résister. Le geste de Sa Majesté fut étrange, car il connaissait cette règle mieux que quiconque, comme le prouve, à l'évidence, sa prédilection pour le marbre. Avec sa surface silencieuse, immobile, polie, le marbre exprimait le rêve de Sa Vénérable Majesté d'être entourée d'immobilité, de silence, de lustre et de régularité. Pour l'éternité de Son Auguste Personne.

A. G. :

Il faut que vous sachiez, monsieur Richard, qu'à
cette époque, au début du mois d'août, l'aspect intérieur du Palais avait perdu toute sa dignité et sa somp-
tuosité. Il y régnait une telle pagaille que les maîtres
de cérémonie encore présents ne pouvaient plus
s'acquitter de leur tâche. Cette confusion générale
venait du fait que le Palais s'était transformé en refuge
pour les dignitaires et les notables qui affluaient de la
capitale et même de l'Empire dans l'espoir que Sa
Majesté les protègerait, leur sauverait la vie et négocie-
rait leur libération auprès des officiers arrogants. Sans
plus aucun respect pour leur fonction et leur titres,
les dignitaires et les favoris de tous rangs, de tous
niveaux et de toutes catégories dormaient les uns
contre les autres sur les tapis, les sofas et les fauteuils,
enroulés dans des tentures et des rideaux, ce qui ne
manquait pas de provoquer des querelles incessantes,
car certains ne voulaient pas qu'on dégage les fenêtres,
préférant laisser les salons plongés dans l'obscurité au
cas où l'aviation rebelle larguerait des bombes sur le
Palais, d'autres au contraire rétorquaient qu'ils ne pouvaient pas dormir sans couverture (les nuits étaient
exceptionnellement froides, il faut reconnaître), et sans
se gêner, ils décrochaient les rideaux des fenêtres et
s'enroulaient dedans. Mais toutes ces disputes et ces
prises de bec furent vaines puisque les officiers allaient
bientôt réconcilier tout le monde en prison où les
querelleurs n'auraient plus à se chamailler pour la

moindre couverture. Pendant ces journées, chaque matin, les patrouilles de la 4e division arrivaient au Palais, les officiers rebelles descendaient de leur voiture et organisaient une réunion de dignitaires dans la salle du trône. « Réunion de dignitaires ! Réunion de dignitaires dans la salle du trône ! » hurlaient, dans les galeries du Palais, les maîtres de cérémonie désormais au service des officiers. À cet appel, une partie des dignitaires se planquaient dans les coins du Palais, d'autres se présentaient, enroulés dans leurs tentures et leurs rideaux. Les officiers lisaient alors une liste, et ceux dont le nom avait été cité étaient emmenés au cachot. Au début, toutefois, le nombre de dignitaires présents au Palais restait stable malgré les arrestations quotidiennes, car les partants étaient aussitôt remplacés par des arrivants qui ne cessaient d'affluer de province, pensant que le Palais était l'endroit le plus sûr et que sa Vénérable Majesté les mettrait à l'abri de l'insolence des officiers. Il faut avouer, monsieur Richard, que Son Extraordinaire Majesté était presque toujours en uniforme militaire, parfois en habit de gala, parfois en tenue de combat, habit qu'elle avait l'habitude de porter quand elle assistait aux manœuvres. Elle entrait dans les salons où les dignitaires, complètement abattus, déprimés, morts de peur, attendaient, couchés sur les tapis, assis dans des fauteuils, en se demandant mutuellement ce qu'ils allaient devenir à l'issue de cette interminable attente. Sa Majesté les consolait, les encourageait, leur souhaitait bonne chance, les écoutait avec la plus grande attention, leur

parlait avec une sollicitude particulière. Si elle tombait
sur une patrouille d'officiers dans les galeries, elle les
encourageait aussi, leur souhaitait bonne chance et
tout en les louant pour leur loyauté à son égard, elle
assurait que les affaires militaires faisaient l'objet de
ses préoccupations constantes. Les Geôliers chuchotaient alors avec rage et acrimonie qu'il fallait pendre
les officiers, car ils avaient détruit l'Empire, arguments que Notre Aimable Monarque écoutait avec
attention, puis de nouveau il encourageait ses interlo-
cuteurs, leur souhaitait bonne chance, les remerciait
pour leur loyauté et soulignait qu'il les portait en très
haute estime. Notre ministre de l'Information, Gebre-
Egzy, louait alors l'infatigable agilité impériale grâce à
laquelle Sa Majesté contribuait au bien-être général
sans jamais épargner ses conseils et ses consignes,
preuve, selon le ministre, de la souplesse monarchique.
Malheureusement, notre ministre exaspéra tant les
officiers avec ses louanges que ces derniers lui cou-
pèrent à jamais la parole en le précipitant dans un
cachot. Je dois avouer, monsieur Richard, qu'en qualité d'employé au ministère des Provisions du Palais,
j'ai vécu, au cours de ce dernier mois, mes journées
les plus noires, car il n'y avait jamais moyen d'évaluer
les effectifs de la Cour, le nombre de dignitaires chan-
geant tous les jours. Certains se faufilaient à l'intérieur
du Palais dans l'espoir d'y trouver refuge, d'autres
étaient emmenés en prison. Il arrivait aussi qu'un
dignitaire se glissât à l'intérieur à la faveur de la nuit
et qu'il se fît coffrer le lendemain. C'est la raison pour

laquelle je ne savais jamais combien de plats il me fallait commander aux magasins. Aussi, ils étaient parfois insuffisants. Messieurs les dignitaires se mettaient alors à hurler que le ministère des Provisions était en cheville avec les rebelles et qu'il voulait les anéantir en les affamant. Si, en revanche, il y avait excès de nourriture, les officiers me reprochaient de faire du gaspillage. J'envisageai donc de donner ma démission. Mon geste fut toutefois superflu puisque nous fûmes tous chassés du Palais.

Y. Y. :

Nous n'étions plus qu'une poignée à attendre le verdict final et redoutable quand – Dieu soit loué ! – un rayon d'espoir apparut avec l'arrivée d'un groupe d'avocats qui, au terme de longues délibérations, avaient fini par mettre au point un amendement à la constitution. Ils vinrent donc présenter à Sa Majesté ce projet qui visait à transformer notre Empire autocratique en monarchie constitutionnelle, à renforcer le gouvernement et à laisser à Sa Vénérable Majesté l'équivalent de pouvoir dont disposent les rois britanniques. Les fonctionnaires s'empressèrent de lire le projet, dispersés en petits groupes et cachés dans les coins de la salle, car si les officiers avaient aperçu un rassemblement un tant soit peu important, ils auraient fait coffrer tout le monde. Malheureusement, mon ami, une fois qu'ils eurent lu le projet, les Geôliers s'insurgèrent en disant qu'il fallait préserver la monarchie absolue, maintenir les pleins pouvoirs dont bénéficiaient les notables en province et jeter au feu les hypocrisies de la monarchie constitutionnelle inspirées de l'empire britannique moribond. Les Négociateurs sautèrent alors à la gorge des Geôliers en disant qu'il était urgentissime de rendre l'Empire meilleur, vivable et agréable par la voie constitutionnelle. Et tous de plaider auprès de Sa Compatissante Majesté qui recevait la délégation d'avocats, étudiait le projet dans les détails en y portant une attention particulière et en appréciant hautement les idées développées. Après avoir écouté les récriminations des Geôliers puis les mièvreries des Négociateurs, Sa Majesté adressa ses félicitations et ses encouragements aux uns et aux autres puis leur souhaita bonne chance. Mais les officiers avaient dû être prévenus de cette rencontre, car à peine les avocats eurent-ils le temps de quitter le cabinet de Sa Très Lumineuse Majesté que les militaires leur tombèrent dessus, confisquèrent le projet, leur ordonnèrent de rentrer chez eux et leur interdirent de revenir. La vie interne du Palais avait d'ailleurs une étrange allure, comme si elle n'existait que pour et par elle-même. Quand je sortais en ville en tant que préposé à la poste du Palais, je voyais une vie normale, des autos qui circulaient dans les rues, des enfants qui jouaient au ballon, des marchands qui vendaient et des clients qui achetaient, des vieux, assis, qui bavardaient. Chaque jour, je passais d'un univers à l'autre, d'une vie à l'autre, sans plus savoir

laquelle des deux était réelle. J'avais l'impression qu'il
me suffisait d'aller en ville, de me promener dans la
foule plongée dans ses soucis quotidiens pour oublier
aussitôt le Palais tout entier qui disparaissait comme s'il
n'avait jamais existé, à tel point que j'étais pris de
panique à l'idée de ne plus le retrouver à mon retour.

E. :

L'Empereur a passé ses dernières journées seul au
Palais où les officiers l'avaient laissé avec son vieux
valet de chambre. Au sein du Derg, c'est le groupe
qui préconisait la fermeture du Palais et la déposition
de l'Empereur qui manifestement l'emporta. Aucun
nom des officiers du comité n'était connu à l'époque,
les militaires n'étaient jamais annoncés. Ils ont agi
dans une clandestinité absolue jusqu'à la fin. Maintenant seulement on raconte que ce groupe était mené
par un jeune officier supérieur, Mengistu Hailé
Mariam. Il n'était pas seul, mais les autres officiers
ne sont plus en vie aujourd'hui. Je me souviens que
Mengistu Hailé Mariam venait au Palais quand il était
capitaine. Sa mère était domestique à la cour. Je suis
incapable de dire qui l'aida à terminer l'école d'officiers. Mince, menu, toujours tendu intérieurement,
maître de lui-même, c'est en tout cas l'impression
qu'il donnait. Il connaissait à la perfection la structure
de la Cour, il savait parfaitement qui était qui, les
personnes qu'il fallait arrêter et à quel moment pour

bloquer le fonctionnement du Palais, l'affaiblir, le transformer en maquette superflue, vide et délabrée, bref en ce qu'il est devenu, comme vous pouvez le constater. Au cours des premières journées du mois d'août, le Derg dut prendre des décisions cruciales. Le comité militaire était constitué de cent vingt délégués élus par les divisions et les garnisons. Ils disposaient d'une liste de cinq cents dignitaires et courtisans qu'il fallait arrêter progressivement, en créant ainsi un vide de plus en plus grand autour de l'Empereur qui finit par se retrouver seul au Palais. Le dernier groupe faisant partie de l'entourage proche de l'Empereur fut mis aux arrêts à la mi-août. Furent arrêtés : le colonel Tassew Wajo, chef des gardes du corps ; le général Assefaz Demissie, aide de camp de Notre Monarque ; le général Tadesse Lemma, commandant de la garde impériale ; Solomon Gebre-Mariam, secrétaire personnel de Hailé Sélassié ; Endelkachew, Premier ministre ; Admassu Retta, ministre des Privilèges suprêmes, et une vingtaine de personnes encore. Parallèlement, ils proclamèrent la dissolution du Conseil de la couronne ainsi que d'autres institutions placées sous la tutelle directe de l'Empereur. À partir de cet instant, ils entamèrent une perquisition scrupuleuse de tous les départements du Palais. Les dossiers les plus compromettants furent trouvés au bureau des Privilèges suprêmes, d'autant plus facilement qu'Admassu Retta manifesta un zèle particulier à tout déballer lui-même. Il fut un temps où les privilèges étaient exclusivement distribués par le monarque, mais au fur et à mesure que l'Empire se désagrégeait, la rapacité des notables et les règlements de compte mutuels se renforcèrent à tel point que Hailé Sélassié ne fut plus en mesure de tout maîtriser. Il délégua donc une partie de la gestion des privilèges à Admassu Retta. Hélas, ce dernier ne possédait pas la mémoire phénoménale de l'Empereur, qui n'avait jamais eu besoin de rien noter. Admassu Retta établissait donc des listes où il consignait soigneusement les noms des bénéficiaires de terres, immeubles, entreprises, devises et autres gratifications. Ces listes se retrouvèrent entre les mains des officiers qui lancèrent aussitôt une campagne de propagande sur la corruption du Palais en publiant tous ces documents compromettants. De cette manière, ils attisèrent la haine et la colère de la population, ils déclenchèrent des manifestations, la rue réclamait la potence, un climat de terreur et d'apocalypse fut instauré. On peut dire qu'on a eu la chance d'avoir été tous mis à la porte du Palais par les militaires. C'est peut-être ce qui m'a sauvé la vie.

T. W. :

Je vous avoue, monsieur, que je savais depuis longtemps que le pire nous attendait. Il me suffisait d'observer le comportement des dignitaires ; au fur et à mesure que les nuages s'accumulaient au-dessus de leurs têtes, ils se regroupaient en se donnant l'accolade, prétendaient qu'ils se moquaient de l'Empire, restaient entre eux pour bavarder, se rassurer, s'écouter. Même à nous, les domestiques, ils ne demandaient plus de nouvelles de la ville, car ils avaient peur d'en apprendre de mauvaises. D'ailleurs, à quoi bon poser des questions quand il n'y avait plus rien à faire ? Tout s'était effondré de toute façon. En revanche, les Fluctuants consolaient tout le monde en disant que nous allions nous en sortir grâce à l'inertie. N'était-ce pas le meilleur moyen de se cramponner au Palais, car plus la nature est inerte, plus elle résiste. Avec sa force, l'inertie est capable de vaincre tout mouvement, d'endormir le peuple docile, si bien qu'elle va sans doute nous permettre de durer, à condition toutefois de faire quelques concessions au bon moment, au bon endroit, et à condition aussi de ne pas irriter le peuple, de lui lâcher du lest. Le plan des Fluctuants aurait pu marcher sans l'acharnement des officiers, leur hargne à découper le Palais en morceaux, à procéder à des coupes sombres dans les effectifs des dignitaires pour finir par nettoyer la cour de tout son monde, sauf de Son Extraordinaire Majesté et de son dernier valet.

*Le plus difficile a été de retrouver cet homme qui avait l'âge de son maître et qui vivait dans un tel oubli que la plupart des gens interrogés me répondaient en haussant les épaules qu'il était sûrement mort depuis longtemps. Il resta au service de l'Empereur jusqu'au* dernier jour, c'est-à-dire jusqu'au moment où les militaires emmenèrent le monarque du Palais et ordonnèrent à son valet de rassembler ses affaires et de rentrer chez lui. Dans la seconde moitié du mois d'août, les officiers arrêtèrent les derniers proches de Hailé Sélassié. Ils ne touchèrent pas à l'Empereur, car ils avaient besoin de temps pour préparer l'opinion : la ville devait comprendre pourquoi le monarque avait été déposé. Les officiers se rendaient compte que l'opinion populaire comportait une dimension superstitieuse, qu'elle était imprévisible et dangereuse. La population avait tendance – de manière inconsciente – à prêter à son chef des qualités divines. Le plus haut personnage de l'État est toujours le meilleur, il est sage et noble, immaculé et bienveillant. Les méchants, ce sont les dignitaires, ce sont eux les responsables de tous les maux. Si le chef savait ce que le peuple endure, il rétablirait la justice aussitôt, la vie deviendrait aussitôt meilleure ! Hélas, ces scélérats pleins de ruse cachent tout à leur maître, c'est pourquoi il y a tant de misère partout. C'est pourquoi la vie est si difficile à supporter, si misérable et si pénible. Dans un système autocratique, le peuple superstitieux considère le chef comme le grand horloger. Le chef sait tout, et s'il ignore certains éléments, c'est parce qu'il ne veut pas les connaître, parce que ces éléments le gênent. Ce n'est pas un hasard si l'entourage de l'Empereur était, dans sa grande majorité, composé de gens médiocres et serviles. La médiocrité et la servilité étaient les seuls critères d'ennoblissement retenus par le monarque pour choisir

*ses favoris, pour les récompenser, pour leur distribuer
des privilèges. Aucun pas n'était fait dans le Palais,
aucun mot n'était prononcé sans qu'il le sût ou sans
qu'il eut donné son accord. Tous les courtisans par-
laient de sa voix, et s'ils tenaient des propos contradictoires, c'est que lui-même en tenait aussi. Il ne pouvait
en être autrement, car pour rester dans l'entourage de
l'Empereur il fallait lui vouer un culte sans faille.
Celui dont l'ardeur au culte faiblissait perdait aussitôt
sa place, il était rejeté, il disparaissait. Hailé Sélassié
vivait au milieu de ses ombres, sa suite n'était rien
d'autre que son ombre démultipliée à l'infini. Qui
étaient Aklilu, Gebre-Egzy, Admassu Retta sinon les
ministres de Hailé Sélassié ? Ils étaient ministres, rien
de plus. L'Empereur ne voulait s'entourer que d'hommes
comme eux, car eux seuls pouvaient satisfaire sa vanité,
son amour propre, sa passion de la scène et de la
pompe, du spectacle et du piédestal. Or voilà que les
officiers se retrouvent seul à seul avec l'Empereur, face
à face avec lui. Le dernier duel est engagé. Le moment
est venu pour tout le monde de tomber le masque, acte
qui s'accompagne toujours d'un sentiment d'angoisse et
de tension, car une nouvelle configuration se met en
place entre les parties, on entre en terrain inconnu.
L'Empereur n'a plus rien à perdre, mais il peut encore
se défendre, se défendre par sa vulnérabilité, par son
inaction, par la seule vertu d'avoir réussi à rester au
Palais, de s'y être éternisé. Il peut aussi se défendre
parce qu'il a rendu un fier service aux officiers rebelles
en se taisant quand ils ont déclaré faire la révolution en*

*son nom, il n'a jamais protesté, il n'a jamais démenti.*
*Cette comédie de loyauté que les militaires ont joué*
*pendant des mois leur a drôlement facilité la tâche.*
*Les officiers décident toutefois d'aller plus loin, d'aller*
*jusqu'au bout. Ils veulent démasquer la divinité. Dans*
*une société écrasée par la misère, la pénurie et les pri-*
*vations, rien ne parle plus à l'imagination, rien ne*
*suscite plus d'émotion, de colère et de haine que l'image*
*de la corruption et des privilèges de l'élite. S'il mène*
*un mode de vie spartiate, un gouvernement, même*
*incompétent et stérile, peut garder la reconnaissance*
*populaire pendant des années. Au fond, le peuple a,*
*en général, une attitude bienveillante et compréhensive*
*à l'égard du Palais. Mais la tolérance a ses limites que*
*le Palais, vain et arrogant, dépasse souvent et facile-*
*ment. L'humeur de la rue change alors de manière*
*violente. Docile, elle devient indocile ; patiente, elle se*
*fait rebelle. L'heure a donc sonné, où les officiers*
*décident de mettre le roi à nu, de lui retourner les*
*poches, d'ouvrir et de montrer au peuple les cachettes*
*secrètes de son cabinet. En attendant, le vieil Hailé*
*Sélassié, de plus en plus traqué, erre dans le Palais*
*désert en compagnie de son valet de chambre L. M.*

L. M. :

Mon bon monsieur, c'était au moment où on
emmenait les derniers dignitaires, on les tirait de tous
les coins et recoins du Palais et on les faisait monter

dans des camions. Un officier m'a dit de rester avec
Sa Vénérable Majesté, de continuer à m'occuper
d'elle, puis il est parti avec d'autres officiers. Je me
suis aussitôt rendu au Bureau suprême pour écouter
les volontés de Sa Toute-Puissante Majesté, mais je
n'y ai trouvé personne. En parcourant les galeries et
en réfléchissant à l'endroit où Sa Majesté avait bien
pu aller, j'ai fini par le trouver dans la grande salle de
réception. Il regardait des soldats charger leurs sacs à
dos et leurs musettes et faire leurs bagages. Comment
est-ce possible, me suis-je dit, tout le monde s'en va
en laissant Sa Majesté sans la moindre protection alors
que la ville est en proie aux pillages et aux troubles
les plus sauvages ? Je leur ai alors demandé : « Mes
bons amis, vous partez pour de bon ? » « Pour de bon,
ont-ils répondu, mais une sentinelle reste à l'entrée
pour arrêter les dignitaires qui tenteraient de se faufiler à l'intérieur du Palais. » Sa Majesté était là, debout,
à regarder autour d'elle, sans dire un mot. Les soldats
lui ont fait une révérence et sont sortis avec leurs
baluchons tandis que Sa Très Noble Majesté les regardait en silence, puis elle est retournée à son cabinet,
toujours silencieuse.

*Malheureusement, le récit de L. M. est confus, le
vieillard a des difficultés à rassembler ses souvenirs, ses
sentiments et ses impressions dans un ensemble cohérent.
« Père, essayez de vous rappeler plus de détails ! insiste*

*Teferra Gebrewold (il appelle L. M. « père » par res-*
*pect pour son âge). L. M. évoque alors la scène sui-*
*vante : un jour il trouva l'Empereur dans un salon, il*
*regardait par une fenêtre. Il s'approcha de plus près et*
*jeta, lui aussi, un œil dehors. Il vit alors un troupeau*
*de vaches en train de paître dans les jardins impériaux.*
*Manifestement, la ville avait été informée de la ferme-*
*ture imminente du Palais. Enhardis par la nouvelle,*
*les vachers avaient conduit leurs bêtes dans le parc. On*
*avait dû leur dire que l'Empereur avait perdu tout*
*pouvoir et qu'on pouvait profiter de ses biens, du moins*
*de l'herbe du Palais devenue propriété du peuple.*
*L'Empereur était plongé dans une profonde méditation*
*(« Ce sont les hindous qui l'ont initié à cette technique,*
*ils le faisaient tenir debout, sur une jambe, avec inter-*
*diction de respirer et d'ouvrir les yeux »). Immobile, il*
*méditait pendant des heures entières dans son cabinet*
*(« Il méditait ou alors il somnolait », commente le*
*valet de chambre). L. M. n'osait pas entrer, il avait*
*peur de le déranger. C'était la saison des pluies, il*
*pleuvait pendant des journées entières, les troncs des*
*arbres baignaient dans l'eau, les matinées étaient bru-*
*meuses, les nuits glacées. Hailé Sélassié gardait toujours*
*son uniforme par-dessus lequel il avait jeté une chaude*
*cape en laine. Ils se levaient comme naguère, à l'aube,*
*puis se rendaient à la chapelle du Palais où L. M.*
*lisait à voix haute des versets du Livre des psaumes.*
*« Seigneur, des taureaux nombreux me cernent, de fortes*
*bêtes m'encerclent. » « Protège-moi à l'ombre de tes*
*ailes. » « Ne sois pas loin, Seigneur, proche est l'angoisse,*

*point de secours ! » Puis Hailé Sélassié regagnait son
cabinet, s'asseyait à son immense bureau où trônaient
une dizaine de téléphones. Plus aucun ne sonnait.
Peut-être étaient-ils coupés ? L. M. s'asseyait devant la
porte en attendant un coup de sonnette du monarque
pour exécuter ses consignes.*

L. M. :

Mon bon monsieur, en ce temps-là, seuls les officiers
rendaient visite à l'Empereur. Ils passaient d'abord me
voir afin que je les annonce à Sa Singulière Majesté,
puis ils entraient dans le cabinet impérial où Sa Majesté
trônait dans un fauteuil confortable. Aussitôt, les officiers se mettaient à lire une proclamation qui exigeait
que Sa Généreuse Majesté rende tout l'argent qu'elle
possédait et qu'elle avait, selon eux, illégalement
détourné pendant une cinquantaine d'années en le
plaçant dans des banques à l'étranger, en le cachant
dans le Palais ou chez des dignitaires et des notables.
« Il faut absolument tout rendre, disaient-ils, car cet
argent est la propriété du peuple, il provient de son
sang et de sa sueur. » « De quel argent voulez-vous
parler, répondait Sa Bienveillante Majesté, nous
n'avons plus un sou, tout a été investi dans le Développement pour que nous puissions rattraper notre
retard et prendre la tête du peloton. D'ailleurs le Développement a été officiellement reconnu comme un
immense succès. » « De quel Développement voulez-

vous parler, rétorquaient les officiers, c'est de la pure démagogie, un rideau de fumée qui a permis à la Cour de s'enrichir ! » Ils se redressaient alors soudain, soulevaient un immense tapis persan et mettaient à jour des liasses et des liasses de dollars serrées les unes contre les autres à tel point que le plancher en était tout vert. En la présence de Sa Vénérable Majesté, ils ordonnaient aux sergents de compter l'argent, d'en consigner le montant exact et de le faire nationaliser. Tout d'un coup ils disparaissaient. Sa Noble Majesté m'emmenait alors dans son cabinet et me demandait de cacher l'argent, qu'elle gardait dans les tiroirs de son bureau, entre les pages de ses livres. Il faut savoir que Sa Majesté, en tant que descendant officiel du roi Salomon, possédait une immense collection de Bibles traduites dans toutes les langues du monde. C'est là que nous avons caché l'argent. Mais les officiers n'étaient pas nés de la dernière pluie. Le lendemain, ils revinrent, lurent une proclamation, exigèrent la restitution de l'argent. « Il faut acheter de la farine pour le peuple », dirent-ils. Mais Sa Majesté resta assise à son bureau sans mot dire, elle montra les tiroirs vides. Les officiers se levèrent alors brusquement de leurs sièges, ouvrirent les bibliothèques, secouèrent vigoureusement toutes les Bibles d'où s'échappèrent des liasses et des liasses de dollars, ordonnèrent aux sergents de compter, de consigner le montant et de nationaliser le tout. Tout cela n'est rien, poursuivirent les officiers, il faut rendre l'intégralité de l'argent, notamment celui qui a été placé dans

les banques suisses et anglaises sur un compte privé
de Sa Majesté et qui est estimé à un demi-milliard de
dollars si ce n'est davantage. Ils houspillèrent alors Sa
Majesté pour qu'elle signe les chèques correspondants
et rende l'argent au peuple. « D'où voulez-vous que
je prenne ces sommes faramineuses, demanda Son
Auguste Majesté ? Les quelques sous que je possède,
je les ai envoyés à l'hôpital suisse où mon fils se fait
soigner ! » « Des petits sous bien jolis ! » répliquèrent
les officiers qui se mirent à lire à haute voix une lettre
de l'ambassade suisse où il était dit que Sa Généreuse
Majesté détenait cent millions de dollars dans les
banques de ce pays. Ils continuèrent de discutailler
jusqu'au moment où Sa Majesté sombra dans une
profonde méditation, les yeux fermés, la respiration
coupée. Les officiers sortirent du cabinet impérial en
promettant de revenir. Une fois que ces détrousseurs
eurent quitté Sa Majesté, le silence revint dans le
Palais, mais c'était un mauvais silence, car des cris,
des acclamations, un vacarme infernal montaient de
la rue ; la ville était, en effet, sillonnée de manifestations, la populace arpentait les rues en maudissant Sa
Majesté, en la traitant de voleuse, en jurant de la
pendre à un arbre. « Escroc ! Rends-nous notre
argent ! » hurlaient-ils. Ou alors ils scandaient : « Il
faut pendre l'Empereur, haut et court ! » J'essayai de
fermer toutes les fenêtres du Palais afin que ces cris
indécents et calomniateurs n'atteignent pas l'oreille de
Sa Vénérable Majesté et ne lui retournent pas les
sangs. Puis j'emmenai Sa Majesté à la chapelle qui se

trouvait dans l'endroit le plus retiré du Palais. Là-bas, pour étouffer ce vacarme blasphématoire, je me mis à lui lire, à voix haute, les paroles des prophètes : « Ne prête point l'oreille aux mots proférés par les hommes, prête-leur plutôt ton cœur, même si celui qui te maudit est ton serviteur. » « Ils ne sont que médiocrité et errements et périront à l'heure du jugement. » « Souviens-toi, Seigneur, de ce qui nous est arrivé ! Regarde et vois notre opprobre ! La joie dans nos cœurs a disparu, les larmes ont remplacé les danses. La couronne de notre tête est tombée. C'est pourquoi notre cœur est blessé, et nos yeux embrumés. » « Oh ! L'or a perdu son éclat ! L'or pur s'est altéré, les pierres du temple ont été dispersées aux quatre coins de la ville. Ceux qui se nourrissaient de mets exquis périssent dans les rues. Ceux qui étaient élevés dans la pourpre embrassent le fumier. » « Tu vois toutes les vengeances et tous les complots dirigés contre moi. Tu entends leurs outrages, Ô Seigneur ! Tu vois leurs lèvres murmurer contre moi. Je suis devenu l'objet de leurs chants. Ils ont enfoui ma vie dans une fosse, et m'ont écrasé avec une pierre. » Oui, mon bon monsieur, bercée par les prophéties, Sa Vénérable Majesté sombra dans le sommeil. Alors, je la laissai et regagnai ma chambre pour écouter la radio, dernier lien entre le Palais et l'Empire.

À cette époque, tout le monde écoutait la radio et
les rares élus qui pouvaient se permettre d'acheter un
téléviseur (qui reste encore un symbole de luxe dans ce
pays) regardaient la télévision. À la fin du mois d'août
et au début du mois de septembre, chaque jour appor-
tait sa moisson de révélations sur la vie du Palais et de
l'Empereur : chiffres, noms, numéros de comptes ban-
caires, labels de propriétés et de sociétés privées. On
montrait des maisons de notables, les richesses qui y
étaient accumulées, le contenu de cachettes secrètes, des
tas de bijoux. Le ministre des Privilèges suprêmes,
Admassu Retta, passait souvent sur les ondes. Entendu
par une commission de surveillance de la corruption,
il citait tel dignitaire qui avait reçu tel bien, précisait
la date, le lieu, le montant. La difficulté consistait
toutefois à déterminer avec exactitude la frontière entre
le budget de l'État et la fortune personnelle de l'Empereur, tout étant extrêmement brouillé, confus, ambigu.
Les dignitaires s'étaient fait construire des palais,
avaient acheté des propriétés, s'étaient offert des voyages
à l'étranger en puisant copieusement dans le Trésor
public. Mais c'est l'Empereur qui avait accumulé la
plus grosse fortune. Plus il vieillissait, plus son avarice,
sa cupidité sénile et pitoyable croissaient. On aurait
pu en parler avec tristesse mais indulgence si Hailé
Sélassié et ses hommes n'avaient détourné ces millions
au milieu de cimetières bourrés de victimes de la
famine, des cimetières qu'ils voyaient des fenêtres du
Palais. À la fin du mois d'août, les militaires promul-
guèrent un décret sur la nationalisation de tous les

*palais de l'Empereur. Il y en avait quinze. Le même sort fut réservé aux entreprises de Hailé Sélassié, en l'occurrence la brasserie Saint-Georges, les compagnies d'autobus d'Addis-Abeba, l'usine d'eaux minérales à Ambo. Les officiers continuaient de rendre visite à l'Empereur et de mener avec lui des négociations interminables pour l'obliger à retirer des banques étrangères tout l'argent qu'il y avait déposé et à le faire transférer au Trésor public. On ne connaîtra vraisemblablement jamais le montant exact de l'argent que l'Empereur avait sur ses comptes privés. La propagande parlait de quatre milliards de dollars, mais cela semble exagéré. Il s'agissait plutôt de quelques centaines de millions. Les réclamations insistantes des militaires se soldèrent par un échec : l'Empereur n'a jamais rendu cet argent qui reste, à ce jour, au chaud, dans des banques étrangères. « Un beau jour, se souvient L. M., des officiers sont arrivés au Palais en annonçant que le soir, un film allait passer à la télévision et que Hailé Sélassié était obligé de le regarder. » Le valet transmit l'information à son maître. Le monarque se soumit, sans rechigner, à l'injonction des militaires. Le soir, il s'assit dans un fauteuil devant le téléviseur, le programme commença. Il s'agissait du film documentaire de Jonathan Dimbleby,* La Famine cachée. *L. M. affirme que l'Empereur regarda le film jusqu'au bout, puis il sombra dans ses méditations. La nuit du 11 au 12 septembre, le valet et son maître – deux vieillards dans un palais abandonné – ne fermèrent pas l'œil, car c'était le réveillon du Nouvel An (selon le calendrier* *éthiopien). À cette occasion, L. M. disposa des chandeliers dans tout le Palais et il les alluma. Au petit matin, ils entendirent un vrombissement de moteurs et le raclement de chenilles sur l'asphalte. Puis ce fut le silence. À six heures du matin, des véhicules militaires s'approchèrent du Palais. Trois officiers en tenue de combat entrèrent dans le cabinet de l'Empereur, où ce dernier se tenait depuis l'aube. Après l'avoir salué par une révérence, l'un d'eux fit la lecture de l'acte de déposition du trône. (Publié ensuite dans la presse et lu à la radio, le texte était le suivant : « Bien qu'en toute bonne foi, le peuple ait toujours considéré le trône comme un symbole d'unité, Hailé Sélassié I<sup>er</sup> a abusé de son autorité, de sa fonction et de l'honneur du trône à des fins personnelles. En conséquence, le pays s'est retrouvé dans un état de pauvreté et de délabrement extrêmes. Âgé de plus de 82 ans, le monarque n'est plus en état d'assumer ses responsabilités. Aussi, Sa Puissance impériale Hailé Sélassié I<sup>er</sup> est destituée ce jour, 12 septembre 1974, le pouvoir étant assuré par le Comité militaire provisoire. L'Éthiopie avant tout ! »). Debout, l'Empereur écouta avec attention le message lu par l'officier, puis il exprima à tous ses remerciements, affirma que l'armée ne l'avait jamais déçu et ajouta que si la révolution était bonne pour le peuple, alors il était pour la révolution et ne s'opposerait pas à sa déposition. « Dans ce cas, dit l'officier (qui portait l'uniforme de général), Sa Puissance impériale est priée de nous suivre ! » « Où ? » demanda Hailé Sélassié. « Dans un lieu sûr, expliqua le général.*

*Sa Puissance impériale verra.* » Ils sortirent tous du
Palais. Une Volkswagen verte était garée devant les
grilles. Assis au volant, un officier ouvrit la portière
tout en rabattant le siège avant afin que l'Empereur
puisse entrer dans la voiture. « *C'est une plaisanterie !
s'offusqua Hailé Sélassié. Je ne vais tout de même pas
voyager là-dedans !* » Ce fut sa seule manifestation de
protestation. Aussitôt après, il se tut et s'installa au
fond du véhicule. Précédée par une Jeep bourrée de
soldats armés et suivie par une Jeep identique, la
Volkswagen démarra. Il n'était pas encore sept heures
du matin, le couvre-feu n'était donc toujours pas levé.
Le convoi circulait dans des rues désertes ; d'un geste
de la main, l'Empereur saluait les rares passants qu'il
rencontrait sur son chemin. Pour finir, la colonne
s'engouffra dans la caserne de la 4ᵉ division et disparut.
Sur ordre des officiers, L. M. fit ses bagages puis, son
baluchon sur l'épaule, quitta le Palais. Il arrêta un
taxi et se fit conduire chez lui, à Jimma Road. Teferra
Gebrewold raconte que le jour même, à midi, deux
lieutenants arrivèrent au Palais et le fermèrent à clé.
L'un d'eux mit la clé dans sa poche, puis les militaires
grimpèrent dans leur Jeep et repartirent. Les deux blindés qui avaient été postés, pendant la nuit, devant les
portes du Palais et recouverts de fleurs par la population, regagnèrent leur base.

## HAILÉ SÉLASSIÉ CROIT TOUJOURS
## QU'IL EST EMPEREUR D'ÉTHIOPIE

*Addis-Abeba, le 7 février 1975* (Agence France-Presse). – Enfermé depuis quatre mois dans les appartements du vieux palais de Ménélik situé sur les hauteurs d'Addis-Abeba, Hailé Sélassié finit sa vie au milieu de ses soldats. Ceux-ci, selon des témoignages récents, s'inclinent toujours devant le Négus, comme aux plus beaux jour de l'Empire. C'est la raison pour laquelle le responsable d'une organisation humanitaire internationale qui a récemment rendu visite à l'Empereur et aux prisonniers du vieux *guebi* (*guebi* signifie « palais » en amharique) a pu constater que le Roi des Rois croit toujours qu'il est empereur d'Éthiopie.

Le Négus se maintient en bonne santé, il lit beaucoup, toujours sans lunettes, et donne des conseils de temps à autre aux soldats qui le servent. Ces soldats, d'ailleurs, sont changés chaque semaine, car le vieux roi n'a pas perdu son pouvoir de séduction. Comme par le passé, les journées de l'ancien Empereur sont réglées selon un protocole et un programme immuables.

Levé tôt le matin, le Roi des Rois assiste à un office religieux avant de se plonger dans la lecture. Parfois, il demande des nouvelles de la « Révolution ». En fait, le vieux souverain a toujours déclaré depuis le jour de sa déposition : « Si la Révolution est bonne pour le peuple, alors je suis pour la Révolution. »

Dans l'ancien bureau du Négus, à quelques mètres de l'édifice où il est enfermé, les dix chefs du Derg siègent sans désemparer pour « sauver la Révolution ». Car la montée des périls est générale en ce début de février où la guerre d'Érythrée fait rage. Les lions, toujours vivants, rugissent dans leur cage au milieu du *guebi*, attendant leur ration de viande quotidienne.

Derrière le vieux palais où se trouve le Négus, se profilent les bâtiments allongés du Grand Palais où, dans les caves, environ 180 prisonniers – nobles, aristocrates et officiers de tradition – attendent d'être fixés sur leur sort.

Depuis les premiers jours de février, à nouveau l'atmosphère s'est tendue autour des chefs de la Révolution. De nombreux soldats en arme montent une garde sévère. Il faut un laissez-passer spécial des chefs de la Révolution pour entrer dans le *guebi*, où le correspondant de l'AFP a été convoqué « d'urgence » le 6 février.

En dehors du responsable d'une organisation internationale qui a rencontré l'Empereur le 13 décembre dernier, aucun étranger n'a vu le Négus depuis sa déposition. De nombreux Éthiopiens citent maintenant les prophéties diverses qui accompagnent la fin du dernier empereur d'Éthiopie. L'une des ces prophéties affirme que « le dernier Roi des Rois sera assassiné et que l'on ne retrouvera pas son corps ». Une autre précise que « le Négus reviendra sur le trône pour une période de cinq ans après que ses enfants se seront déchirés entre eux ».

*Addis-Abeba, le 28 août 1975* (Ethiopian News Agency). – L'ex-empereur d'Éthiopie, Hailé Sélassié I$^{er}$, est mort hier. Un accident vasculaire est à l'origine de son décès.

*The Ethiopian Herald*

# TABLE

Mise en page par Meta-systems
Roubaix (59100)

Imprimé en France par CPI
en février 2019

Dépôt légal : septembre 2011
N° d'édition : L.01EHQN000381.A004
N° d'impression : 151940